灵宝大枣
无公害生产技术

郭焕正　主编

黄河水利出版社

内 容 提 要

本书从无公害标准化生产的角度出发；对灵宝大枣无公害生产的意义、重要性和生产质量标准进行了详细的论述，并对灵宝大枣的育苗、栽培、管理、制干、贮藏和加工等一系列现代科学化、标准化、规范化技术规程进行了系统的介绍，对枣农在生产中遇到的一些技术问题进行了解答，具有较强的实用性和参考价值。

图书在版编目(CIP)数据

灵宝大枣无公害生产技术／郭焕正主编. —郑州：黄河水利出版社，2006.6
ISBN 7-80734-062-6

Ⅰ.灵⋯ Ⅱ.郭⋯ Ⅲ.枣－果树园艺－无污染技术
Ⅳ.S665.1

中国版本图书馆 CIP 数据核字(2006)第 027225 号

策划编辑：韩美琴　　　　　　　　电话：0371-66024331

出 版 社：黄河水利出版社
　　　　　地址：河南省郑州市金水路 11 号　邮政编码：450003
发行单位：黄河水利出版社
　　　　　发行部电话：0371-66026940　　传真：0371-66022620
　　　　　E-mail:yrcp@public.zz.ha.cn
承印单位：黄委会设计院印刷厂
开本：850 mm×1 168 mm　1／32
印张：8　　　　　　　　　　插页：8
字数：165 千字　　　　　　　印数：1-2 000
版次：2006 年 6 月第 1 版　　印次：2006 年 6 月第 1 次印刷

书号：ISBN 7-80734-062-2／S·81　　　　　定价：15.00 元

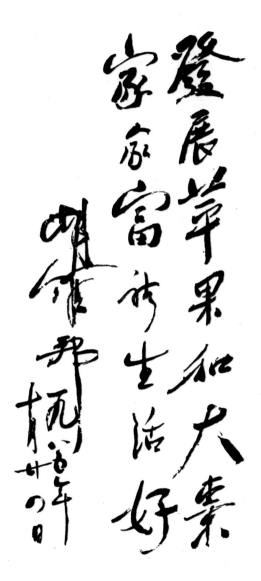

發展苹果和大枣
家家富裕生活好

胡耀邦
十月廿日

1985年10月中共中央总书记胡耀邦视察灵宝时的题词

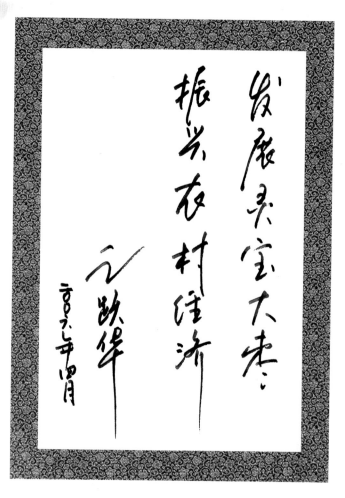

发展灵宝大枣

振兴农村经济

王跃华

二〇〇六年四月

灵宝市委书记王跃华题词

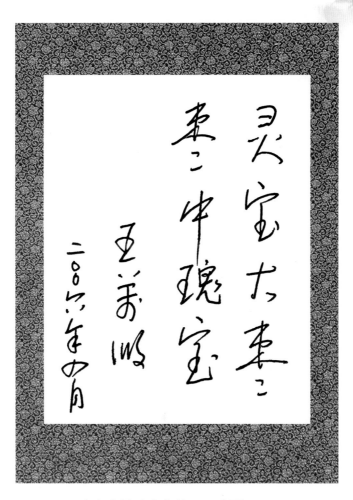

灵宝市人民政府市长王万鹏题词

北京林业大学教授邰玉铮题词

河南省灵宝市林业局：

你单位 灵宝大枣

在2000乐陵全国红枣交易会上被

评为 金奖。

中国经济林协会
2000乐陵全国红枣交易会组委会
2000年9月

2000乐陵全国红枣交易会

金 奖

中国经济林协会
2000乐陵全国红枣交易会组委会
二○○○年九月

　　在2000年乐陵全国红枣交易会上，灵宝大枣被评为金奖。图为获奖奖牌及证书

枣吊结果状

脆熟期采摘的鲜枣

生长期单株

休眠期单株

盛果期枣园

盛果期枣园

冬季枣园管理

明清时期栽植的老枣园

6年生幼树结果状

枣园俯瞰

明清时期栽植的枣树结果状

村庄坐落于枣园中

枣粮间作

9年生幼树结果状

成熟的临猗犁枣

相枣树结果状

金丝小枣树结果状

赞皇大枣树结果状

茶壶枣树结果状

磨盘枣树结果状

序

　　枣树是中国特有树种，早在 3 000 多年前，我国劳动人民就将其作为重要的栽培果树。据专家考证，我国枣树最早的栽培中心是在黄河中下游一带。灵宝市地处黄河中游，亦是较早的栽培地区之一。据史料考证，灵宝大枣的栽培历史已有 1 000 余年。灵宝大枣品质优良，是盛开在全国 700 多种枣中一朵奇葩，是在灵宝独特的气候、土壤、地理环境等因子条件下，经过灵宝人民一代又一代长期驯化、培育而成的具有灵宝地域特色的枣类瑰宝。灵宝大枣营养丰富，含有 18 种人体所需的氨基酸，7 种参与生命代谢活动的维生素，9 种人体必需的微量元素，富含粗蛋白、粗脂肪、粗纤维、可溶性糖等，是极佳的美味果品，具有较高的医疗保健作用，经常食用可提高人体免疫力，延缓衰老，深得消费者厚爱。灵宝大枣以果大核小、肉厚味甘而享誉海内外，曾先后在巴拿马、巴黎等 23 个国家和地区展出，被国家农展馆确定为指定展品。2000 年 9 月，在山东乐陵全国红枣交易会上被评为金奖；2001 年 11 月，灵宝被授予"河南省名特优灵宝大枣之乡"；2005 年 2 月，灵宝大枣获得国家"原产地域产品保护"。

　　灵宝大枣的发展大体上经历了四个阶段：自发生产阶段（1950 年前），面积有 1 万余亩；集体经济阶段（1950~1985 年），面积 1.8 万余亩；初步腾飞阶段（1985~1999

年），原中共中央总书记胡耀邦1985年秋视察灵宝，曾题词"发展苹果和大枣，家家富裕生活好"，灵宝人民积极响应总书记号召，大枣得到较快发展，面积达到4万余亩；迅速发展阶段（1999年后），进入21世纪，灵宝市委、市政府审时度势，确定并实施了"果、林、牧、菌、烟、菜、药、草"八大农业产业发展战略，充分发挥区域比较优势，将灵宝大枣作为农业结构调整的重要内容，描绘了建设10万亩大枣基地宏伟蓝图。乘着国家实施退耕还林工程的强劲东风，短短几年时间，大枣栽植由6个乡镇增加到10个乡镇，使灵宝大枣面积扩展到9万余亩，年产值达到6 000多万元，成为增加农民收入的有效途径。随着灵宝大枣产业不断发展壮大，必将在建设社会主义新农村中发挥着越来越重要的作用。

针对目前灵宝大枣生产中存在着管理比较粗放、科技含量不高、优质枣果比重小的问题，为了加强大枣管理，实行标准化生产，进一步提升灵宝大枣质量，扩大灵宝大枣品牌的影响力，适应激烈竞争的果品市场形势，满足人们对优质、安全无公害枣果的需求，编者作为一名长期从事林业的科技工作者，以强烈的忧患意识、责任意识，总结多年来从事大枣等经济林建设的实践经验，结合现代科学新技术，编写了《灵宝大枣无公害生产技术》一书。该书立足于现代林业科学生产管理之前沿，以无公害标准化生产为主线，详细阐述了灵宝大枣无公害生产的意义和重要性，全面地叙述了灵宝大枣无公害生产质量标准，系统介绍了灵宝大枣的育苗、栽培、管理、制干、贮藏和加工等一系列现代科学化、标准化、规范化技术规程。该书的出版，填补了灵宝大枣科学系统管理技术资料的空白，解决了枣农生产中技术难题，提出了一些新的经营思路和观点，是一部不可多得的专业技术书籍，是广大枣农科技致富奔小康的好参谋、好帮手。该书凝聚着编者的智慧和心血，她的发行必将在大枣生产中发生一场技术革新，在推广应用中产生广泛的影响，必将有效地增进灵宝大枣生产管理科技含量，有力地提高灵宝大枣食用安全卫生质量，进一步推进灵宝大枣产业持续健康发展，促使灵宝大枣品牌叫响全国，走向世界。

灵宝市人民政府市长

2006 年 4 月

前　言

　　灵宝大枣栽植历史悠久，是灵宝枣区劳动人民经过一代又一代驯化、培育而成的一个枣类瑰宝。全市现有栽培面积 9 万余亩，年产值 6 000 多万元，是枣区群众一项重要的经济来源，也给广大消费者提供了极佳的果品。预计到 2015 年，灵宝大枣年产量将达 5 000 万 kg，产值达 5 亿元，真正成为灵宝农村经济支柱产业。

　　随着人民生活水平的提高，消费观念的转变，生产优质、安全的无公害枣果，已成为广大消费者的共同渴求。灵宝大枣作为一个特色产品，如果在生产上仍沿袭传统的管理方法和经营观念，势必限制着它在市场经济大潮中的推进与发展。为适应国内外消费者对安全、优质枣果的需求，针对当前枣农在生产和经营理念中存在的主要问题，迅速提高广大枣农科学技术素质和科学管理水平，本着科学、实用、简便、易行的原则，以生产无公害枣果为目标，根据灵宝大枣的生态学特性和生物学特性，结合二十多年的技术工作经验，在总结枣区群众生产管理技术基础上，参照三门峡市《红枣无公害生产技术地方标准》，编写了《灵宝大枣无公害生产技术》一书，献给广大枣农和林业工作者。希望本书的出版，对枣农在改变传统经营理念方面有所启迪，对枣农在无公害生产技术方面有所帮助，对灵宝大枣果品质量、安全指标和提高国际市场竞争力有所促进，从而使灵宝大枣产业健康、快速稳步发展。

在本书的编写过程中，参考和引用了一些已公开出版的书籍和资料，在此，谨向所有作者表示衷心感谢。同时，对参与本书的讨论和修改的同志表示真诚的谢意。由于水平有限，不妥之处在所难免，敬请同行和广大读者予以赐教。

编 者
2006 年 2 月

目 录

第一章　灵宝大枣栽培历史和现状

枣是我国特有的果树，据古文献记载，早在 3 000 年前，我国劳动人民就将枣作为重要的栽培果树。近代考古资料表明，枣树的栽培开始于 7 000 年前。

据 2000 年国家林业部门统计，我国枣树现栽培面积有 900 多万亩，品种有 700 余个，年产鲜枣 110 万 t 以上，主要产区分布在山东、河北、河南、山西、陕西五省，其产量和面积占全国红枣产量和面积的 90%以上。我国枣树现有栽培面积和产量均占全世界总量的 98%以上，是目前世界上枣树栽培最主要的国家。

一、灵宝大枣栽培历史

据专家多方考证，我国枣树最早栽培中心是在黄河中下游一带，且以晋陕黄河峡谷栽培较早，渐及河南、河北、山东等地。灵宝市地处黄河中游的晋、陕、豫三省交界，沿黄枣区乡镇处于黄河中游峡谷地段，所以亦是较早栽培地区之一。灵宝大枣这一品种的产生，是灵宝枣区人民历经数百年训化培育而成的，具有较为厚重的历史渊源。据贾同然老师《虢国风物记》一书所述，关于灵宝大枣的起源有以下 4 种说法。

(一)清代起源说

乾隆十二年刻印的《灵宝县志》卷之二，土产、花果属有"枣"。乾隆十二年为公元 1747 年，距今为 250 余年。

(二)明代起源说

这是灵宝农业、林业、园艺工作者的普遍观点。1985年 10 月编印的《灵宝土特产资源调查报告》一书写道："灵宝大枣在明代就有栽培，距今已有 400 余年。"1986 年 9月编印的《灵宝土特产集》一书记载，"灵宝大枣据枣农口碑传说已有 400 余年栽培史"。

(三)唐宋起源说

这是贾同然老师考证的结果，也是他的一大发现。在《太平寰宇记》卷之六虢州土产栏内，载有"方纹绫(贡)花纱、绢、梨、枣、蜜……"字句。《太平寰宇记》一书是由乐史编著的长达 200 卷的北宋地理总志，太平兴国时基本完成。按太平兴国年号共使用 8 年，即公元 976 年至983 年，距今 1 000 余年。虢州即今灵宝，就是说灵宝大枣的栽培最晚也起源于北宋，这是从字面上分析。如从实际分析，应比这个记载年代更早。因枣树寿命可达几百年(如灵宝大王镇后地村现存有大片的 200 年生以上的枣树；山东乐陵有一株枣树，记载距今有 800 余年)，那时书中已有记载，而唐末到太平兴国其间只有 80 多年，故它的栽培可能于唐时就有。贾老师这一推断有其一定的科学性。

(四)一段有待商榷的资料

此资料如能成立，则灵宝大枣起源将在东汉时期。《三国志·魏书·董卓传》载：董卓部将郭傕、郭汜"追及天子于弘农之曹阳……杀公卿百官，略宫人入弘农。天子走陕，北渡河……都安邑……遣(韩)融至弘农，与傕汜连和，还所略人公卿百官，及舆乘车马数乘。是时蝗虫四起，岁旱无谷，从官食枣菜"。这段史料的最后一句"从官食枣菜"中有一"枣"字，说明当时这一带产枣，且数量不少。该史料涉及两个地名：一是弘农，即今灵宝；二是安邑，今山西运城一带。如果"从官食枣菜"指在弘农(灵宝)，那么灵宝大枣的栽培史就可上溯到东汉时期了。上述事件的历史背景为汉献帝兴平二年，即公元195年，距今已1800余年。此段史料的发现，足见贾同然老师的敬业精神，也证明了他的科学严谨学风。

由此而见，灵宝大枣栽培至少是从唐宋时期开始，距今已有1000余年。

二、灵宝大枣的经济价值及发展前景

灵宝大枣以其果大、核小、肉厚、汁浓、色艳、味甘、肉质松软、稍有清香、品质上乘而驰名中外，是制干类大枣最佳品种。

(一)富含多种营养物质

据2000年9月5日从大王镇后地村采摘的鲜枣,经河南省农业科学院化验结果见表1-1。

表1-1　灵宝大枣营养物质含量

检验项目	单位	检验结果
维生素A	IU/100g	21.1
维生素E	IU/100g	0.198
维生素B1	μg/100g	105
维生素B2	μg/100g	31.2
维生素B6	μg/100g	262
维生素PP	μg/100g	184
维生素C	mg/100g	56
钙	mg/kg	334

续表 1-1

检验项目	单位	检验结果
磷	mg/kg	374
钾	%	0.361
钠	mg/kg	2.05
铜	mg/kg	1.76
锌	mg/kg	2.7
铁	mg/kg	4.36
镁	mg/kg	166
锰	mg/kg	1.2
天冬氨酸	%	0.43
苏氨酸	%	0.04
丝氨酸	%	0.04
谷氨酸	%	0.11
甘氨酸	%	0.04
丙氨酸	%	0.04
胱氨酸	%	0.04
缬氨酸	%	0.05
蛋氨酸	%	0.01
异亮氨酸	%	0.04
亮氨酸	%	0.05
酪氨酸	%	0.02
苯丙氨酸	%	0.05
赖氨酸	%	0.05
组氨酸	%	0.04
精氨酸	%	0.03
脯氨酸	%	0.85
色氨酸	%	0.02
总　和	%	1.95
水　分	%	62.04
粗蛋白质	%	2.26
粗脂肪	%	0.19
粗纤维	%	1.75
粗淀粉	%	< 1
可溶性糖	%	28.8
可滴定酸度	%	0.37

注：IU·国际单位。

(二)具有较高的医疗价值

中医界普遍认为，灵宝大枣有健脾养胃、补中益气、益血安神之功效。现代医学研究表明，大枣对气血不足、贫血、肺虚咳嗽、神经衰弱、失眠、高血压、败血病和过敏性紫癜等均有疗效，特别是大枣内含黄酮类物质以及环磷酸腺苷(CAMP)、环磷酸鸟苷(CGMP)等，具有很强的抗癌作用。据2005年7月对大王镇后地村的调查，该村现有2 100口人，因村子坐落于枣园中，农民常食灵宝大枣，故该村很少有人得癌症，80岁以上的老人有23人，占总人口的11‰。

(三)可制成多种美味食品

目前，在市场销售有多种枣类食品，如蜜枣、酒枣、糖枣、熏枣、枣泥、枣糕、枣干、枣粉、枣醋、枣茶、枣露、红枣液等。这些食品美味可口，深受人们喜爱。

(四)具有较高的经济价值

灵宝大枣因具有较好品质，在市场上有着很大的竞争优势。据市场调查，枣中极品毛尖枣每0.5 kg可达30元以上，毛头枣(一等)每0.5 kg售价15元左右，泡枣(二等)每0.5 kg售价10元左右。全市目前年产大枣(干枣)600万kg以上，年收入最少在6 000万元以上。大王镇后地村每年大枣收入占农业总收入的50%以上，人均大枣收入在3 000元以上。

(五)美誉名扬海内外

灵宝大枣的内在品质和外观形状具佳，有着很高的美誉，深受广大消费者的喜爱，曾先后在巴拿马、巴黎等23个国家和地区展出，被国家农展馆、广交会列为指定展品，被河南省确定为名特优产品。2000年9月,灵宝大枣在全国乐陵红枣交易会上被评为金奖(这是新中国成立以来由国家林业权威部门首次举行的全国范围内最高规格的红枣质量鉴评会)。2001年11月,灵宝被河南省林业厅授予"河南省名特优灵宝大枣之乡"。2005年2月,灵宝大枣被国家质量监督检验检疫总局定为"原产地域保护"品种。著名翻译家、文学家曹靖华先生曾写诗称"顽猴探头树枝间,蟠桃哪有灵枣鲜"。20世纪30年代曹靖华先生托人将灵宝大枣赠于好友鲁迅先生,他食后感叹曰:"灵宝大枣品质极佳,为中南所无法购得。"北京林业大学邵玉铮教授,把灵宝大枣誉为红玛瑙。

(六)市场前景广阔

据2000年对南方5省8个红枣销售市场调查,这些市场均以批发为主,最小的年销售量在1 000万kg以上,最大的年销售量在3 000万kg以上,品种多为河北、山西、山东、陕西的长形枣类或金丝小枣类,其个头、品质均不及灵宝大枣,而灵宝大枣目前全市年产量仅有600万kg以上,还不如南方最小市场的年批发量。由此可见,只要走出家门,迈向市场,灵宝大枣的商机无限,市场前景非常广阔。从销售格局上看,南方的批发市场以三等以下的大枣为主,东南沿海和国内大中城市销售以二等以上大枣为主。

枣在国外也有较大的市场,干枣及加工产品已成为我国大量出口的传统土特产品,每年出口量在1万t左右,主要出口东南亚各国,也出口亚洲、欧洲、美洲国家。据中国海关统计的数据显示,近几年来我国的板栗、核桃、白果、苦杏仁等林果产品出口量有所下降，但大枣出口量却稳中有升。干枣的出口价格平均为每吨 2 300 美元，可见经济效益非常可观。

现在很多人关注"入世"对中国果业的影响问题。随着"洋果"逐渐进入我国果品市场，我国的果品生产无疑会受到冲击。但对于大枣来说，由于它是中国特有的经济果品，世界上其他国家极少栽培，我国大枣在世界上占有绝对优势和垄断地位，因此"入世"后不但不会对枣业市场带来冲击，反而随着我国对外贸易活动的进一步加强，给大枣出口带来更大的商机。

目前，在欧美国家市场上，中国大枣数量很有限。由于发达国家人民更加重视营养和滋补保健功效，因此对外出口方面，我们要在良种、优质、无毒化、标准化生产方面努力，在深加工、改善运输和包装、创名牌产品上做文章，及时与国际标准接轨。同时加大促销和宣传力度，我们的大枣将会大幅度地进军国际市场，出口量将会成倍增长，市场前景将会愈来愈广阔。

三、灵宝大枣的生产现状

灵宝大枣从产生到目前 8.5 万亩的种植规模，按其发展时期可划分为 4 个阶段。

(一)自发生产阶段

时间从古代至 1950 年。此期为大枣的产生、驯化、繁殖、培育期，自成一特有品种。虽然历经古代、近代和现代，时间跨度大，但都属枣农自发式生产，无统一组织和号召。目前现存的大树，都属此期栽植，面积约 1 万余亩，是全市当前的主要产枣树。

(二)集体经济阶段

时间为 1950 年至 1985 年。此期，我国社会主义经济建设是在计划经济指导下的以生产队为基础的集体经济阶段，主要由集体组织发展，新增面积约 0.8 万亩，目前正进入盛果期。

(三)初步腾飞阶段

时间为 1985 年至 1999 年。20 世纪 80 年代，中国社会生发了大的变革，改革开放的春风吹遍了祖国大地，新的生产关系推动着生产力飞速发展。市场经济的建立，剔除了国人的陈旧观念，百业俱兴、万箭俱发，给灵宝大枣的发展也带来了新的生机。特别是 1985 年，时任中共中央总书记的胡耀邦同志亲临灵宝视察后，欣然题词"发展苹果和大枣，家家富裕生活好"。灵宝人民积极响应总书记的号召，纷纷在自己的责任田栽植大枣，使大枣生产进入一个新的时期，13 年间，栽植面积发展了 2 万余亩。

(四)迅速发展阶段

时间为 1999 年后。随着改革开放的不断深入，市场运作机制的日臻完善，人们对市场经济规律认识的不断提高，灵宝市委、市政府领导审时度势，在反复调查、充分论证的基础上，提出了建立 10 万亩大枣基地的构想，并于 1999年下发了灵发[3]号文件《关于建立 10 万亩大枣基地的意见》，明确了指导思想，提出了具体目标，制定了优惠政策，把灵宝大枣确定为八大支柱产业之一，努力将大枣产业做强做大。财政每年拨出一定资金，无尝扶持农民栽植，使大枣生产迅猛发展。特别是 2000 年后，国家开始实施退耕还林工程，给灵宝大枣的发展注入了新的活力。结合农村产业结构调整和建设和谐小康社会，灵宝大枣每年以万亩的发展速度向前推进，5 年间新栽植大枣 5 万余亩。至 2005 年，灵宝市 10 万亩大枣基地基本建成。建成后的 10 万亩大枣基地，每年将产干枣 5 000 万 kg 以上，全市仅大枣一项年收入可达 5 亿元以上，灵宝大枣将成为名副其实的支柱产业，折射出骄人的辉煌。

但是，目前大枣生产还存在着一些亟待解决的问题。一是枣农经营理念落后，特别是无公害生产意识淡薄，适应不了市场国际化发展的需要。二是大枣生产新技术还没有全面运用于生产，粗放管理的农户多，单位面积产量少，优质枣果率比重小。三是部分枣农在枣果还未达到成熟期，就进行采收，缩短了枣果有机物质积累期，降低了枣果品质。四是在销售包装上，包装产品单调粗糙，特别是进入超市的精包装产品还没有。五是系列化深加工产品少，还仅限于卖枣果，经济效益低。六是灵宝大枣还没有自己的注册商标，不利于走向国际市场。七是大枣生产还处在一个无政府经营状态，在行业管理上虽划归林业部门，但在制定了行业规范化管理地方标准后，没有去具体组织落实，产前、产中、产后技术指导和服务不协调。这些问题的存在，影响着灵宝大枣的产品质量、市场竞争力和经济效益的提高，制约着灵宝大枣产业的快速发展。如果能成立一个经济实体，如灵宝大枣产业集团总公司，为灵宝大枣产业的权威部门，认真组织实施《灵宝大枣无公害生产技术标准》，进行产前、产中、产后一系列技术指导和协调服务，必将会对灵宝大枣产业的振兴有着极大的推动作用。

第二章　灵宝大枣形态特征及生态学和生物学特性

一、灵宝大枣的形态特征及习性

灵宝大枣树体高大，树势强健，干性较强，枝条极性生长势旺、粗壮，树冠呈自然圆头形，树姿直立或半开张，萌蘖力较弱。100 年生的大树，干高 1.16 m，根径 0.41 m，树高 10.3 m，冠径东西 8.1 m、南北 7.3 m，冠幅 59.13 m^2。17 年生的枣树，干高 1.03 m，根径 0.14 m，树高 6.5 m，冠径东西 4.9 m、南北 4.3 m，冠幅 21.07 m^2。主干灰褐色，皮裂中深、粗糙，呈条纹尾状，较易脱落。枣头萌发力强，生长势旺，紫褐色，年平均生长量 35～45 cm，粗 0.43 cm，节间长 6～9 cm，着生永久性二次枝 3～6 个，二次枝自然生长 4～6 节，针刺较发达。皮孔较大，分布较稀，圆形，黄褐色或灰白色，凸起，不开裂。枣股中等大，圆柱形，最长者 2.2 cm，直径 2.1 cm，持续结果 7～8 年。抽吊力中等。每股平均抽生 3.4 个枣吊，枣吊平均长 16～21 cm，每吊平均叶片 13～13.6 片。叶片较小，卵圆形，深绿色，较厚。叶面光亮，叶缘锯齿中度密，侧缘向叶面卷扰。叶尖渐尖，先端尖圆，叶基圆形。花量中等，每吊平均着花 60.1 朵，每 1 花序平均着花 4.4 朵，有间断着花习性。花蕾小，五角形，绿色，零级花径 6.45 mm，1 级花径 5.37 mm。密盘小，杏黄色，为夜开型，在凌晨 1～4 时开放。

灵宝大枣果实较大，扁圆形或椭圆台形，纵径 3.3～3.8 cm，横径 3.4～4.5 cm，鲜果平均果重 23.4 g，最大果重 68 g。大小较均匀。果肩广圆，略宽于果顶。果梗较短，梗洼广而浅。果顶微凹，柱头遗存。果面有明显的五棱突起，果点中等大，分布密，圆形，绿白色。白熟期果皮呈浅绿色，脆熟期，果皮转呈紫红色，果点转呈锈色。果肉厚，绿白色，质地致密，味甜略酸，汁液较少，品质上等。果核较小，短棱形，纵径 1.34 cm，横径 0.8 cm，平均核重 0.51 g。核尖较短，呈突尖状，核纹深，斜条形。核内含有种子，较饱满，含仁率 70%左右，多为单仁。可食率 96.7%～97.7%，制干率 58%左右。9 月 25 日采摘的枣果制干率为 63.7%。

适应性强，耐旱　耐涝、耐瘠薄，抗枣疯病力较强。结果迟，根蘖苗一般 4～5 年开始结果，嫁接苗少量第二年结果。10 年后进入盛果期，经济寿命较长，在老枣区 300 年生以上的老枣树产量仍然很稳定。坐果率中等，在 1% 以上，产量较高，但不稳定。15 年生的枣树，平均株产干枣 30 kg 左右，最高株产 45 kg 左右，盛果期大枣树，最高株产干枣 200 kg。果实生长期 110 天左右。采前落果严重，裂果现象较轻。

二、灵宝大枣的生态学特性

生态学特性指的是枣树对生长环境条件的要求和适应能力，主要指气候条件、土壤条件、地形地势、人文因素等。

(一)温度

各种树种对温度的要求和适应性是不同的，有的具有抵抗寒冷的特性，有的只能在温暖的环境中生长。植物能在一定温度范围内保持生命，而植物能进行生长的温度只是这个范围内的一部分，这是因为生长是一个复杂的生理过程，必须有多种生理机能的高度协调配合才能完成。

灵宝大枣对温度的适应性很强，既能耐高温，又能耐低温。据灵宝气象资料统计，灵宝市绝对最低温为-17℃(1958年1月16日)，绝对最高温度为42.7℃(1966年6月21日)，年平均温度在13.8℃。气温年平均日较差10.6℃，6月份最大为12.2~12.3℃，秋季接近10℃。全年≥10℃的植物生长活跃期有效积温为3 500~4 700℃，早霜10月28日，晚霜3月26日，无霜期170~215天。极端温度的出现没有对灵宝大枣的生长造成危害。适宜的生存环境对枣树营养积累和生长十分有利。

根据物候期观察记载，当春季日均温度达到13~15℃时(4月上旬)，枣树芽体开始萌动，20℃以上时开花(5月下旬)，花期适宜温度25℃左右。果实生长发育期要求25℃以上温度，秋季当日均气温降至15℃以下时开始落叶，到初霜期树叶落完(10月下旬至11月上旬)。

(二)降水

水是植物生长环境中最重要的因子之一，植物的生命活动在很大程度上决定于体内的水分状况。水的生理作用主要有下列几个方面：

第一，水是植物细胞原生质的主要成分。植物细胞原生质的含水量一般在80%以上，大量水分存在使原生质能维持溶胶状态，以保证植物代谢活动的正常进行。

第二，水直接参与植物的许多重要生化过程。如水是光合作用生产碳水化合物的重要原料；在呼吸作用和有机物的水解反应中也都需要水分子的参与。

第三，水是很好的溶剂。许多物质都能溶解在水中，水是一种良好的反应介质，植物体内绝大多数代谢过程都在水介质中进行。如土壤中的一些有机物质和无机物质，只有溶于水中，才能为植物充分吸收。

第四，植物的叶片、嫩枝等机械组织不发达的器官，主要靠细胞吸水后呈现的紧张度来保持其挺立姿态，以利于充分接受光照和交换气体。

第五，水有调节植物体温的功能。植物通过蒸发水分能有效地降低体温，防止强烈日光照射引起植物体的灼伤。在寒冷环境下使植物体温不得下降很快，缓和了低温对植物的不良影响。

灵宝大枣对湿度的适应性表现较强，即耐旱，又耐涝。据灵宝气象资料统计，年降水量最少达 429.2 mm(1972 年)，最多达 988.2 mm(1964 年)。年平均降水量为 619.5 mm，80%的保证率为 515.8 mm，但因受季风气候影响，不仅年际之间差异明显，而且年内降水分布不均。春季(3～5 月)平均降水量为 137.7 mm，占全年降水的 22.2%；夏季(6～8月)为 275.1 mm，占全年的 44.4%；秋季(9～10 月)为 182.1 mm，占全年的 29.4%；冬季(11 月至翌年 2 月)为 25.0 mm，占全年的 4.0%。虽然年内季节降水分布不匀，但在人工灌溉辅助条件下，枣树仍能正常生长。灵宝大枣引入新疆(南疆)栽培，该地区年降水量在 100 mm 以下，在人工灌溉条件下生长正常。但生育期内需要一定的湿度，如花期空气湿度过低，气候干燥，则严重影响授粉和坐果；成熟期多雨，则影响果实生长，易引起裂果或烂果而减产。

(三)光照

绿色植物吸收太阳的光照，利用光能将水分解，放出氧气，并将二氧化碳还原为有机物质(碳水化合物)。最初形成的碳水化合物可以进一步转化为酯类、蛋白质、核酸以及其他有机化合物，并构成植物体的各种组织和器官，如根、茎、叶、花、果等。可见光照是地球上一切生物能量的源泉。

灵宝大枣是一喜光树种。灵宝地区年均日照时数为 2 278 小时，占全年可照时数的 51%；每年太阳辐射总量为 120.1 kcal/cm^2，光合有效幅射为 58.85 kcal/cm^2，属高值区。阳光充足，枣树长势健壮，产量高，品质好；阳光不足，树势衰弱，产量低，品质差。因此，栽植时应选择开阔地带，并注意合理密度和枣树的整形修剪，防止树冠郁闭。

(四)风

风在灵宝市表现为季风型，冬春季多为西北风，夏秋季多为东南风，而枣区大多分布在黄河故道及沿岸，受季风影响更大。但枣树抗风性能随季节变化而变化，表现为生长期抗风力较弱，特别是开花期，大风会影响授粉受精，导致落花、落果；果实成熟期如遇大风，则会出现"风落枣"，影响产量。而冬季枣树的抗风能力较强。因此，在建园时，有风害的地方要注意营造防风林带。

(五)土壤和地势

灵宝市属于褐土带，有褐土、棕壤土、风沙土和潮土等 4 个大类，10 个亚类，25 个土属，74 个土种。其中的褐土类面积最大。根据调查，枣树多分布在风沙土和褐土这两类土壤上，质地多为沙壤土、壤土，pH 值 7～8.5 之间。

地势对灵宝大枣的生长发育影响不大，多分布在海拔 320～900 m 之间，无论是平地、丘陵、塬区及山区都能正常栽培。

三、灵宝大枣的生物学特性

生物学特性指的是植物生长发育规律，比如开花结果习性、物候期及繁殖方法，根系的深浅、寿命的长短、开花结实年龄等。这里从枣树的主要器官习性及物候期方面进行阐述。

(一)根系

枣树根系发达，水平延伸大于垂直生长，是重要的代谢和繁殖器官。根不仅可固结土壤，支撑地上部分生长，而且具有吸收、运转水分和无机盐以及合成和贮存有机物质的功能。

枣树根系

1.水平根；2.垂直根；3.侧根；4.须根；5.根蘖

枣树的根系由水平根、垂直根、侧根和须根构成，水平根和垂直根构成枣树根系的骨架。

1. 水平根

枣树水平根系发达，延伸能力强，分布范围广，一般分布于土壤表层，以 15～30 cm 深度最为集中，水平延伸超过枣树冠幅 3 倍以上。其主要功能是扩大根系范围，固结土壤；产生根蘖苗木，繁殖新株；产生侧根，增加根系吸收能力。

2. 垂直根

由水平根分枝向下延伸而成，深度可达 3～4 m。因立地条件不同，枣树垂直根系的深浅差异甚大，但其生长势比水平根系弱。其主要功能是固结土壤，支撑地上部分生长，吸收土壤深层的水分和无机盐。

3. 侧根

主要由水平根分枝形成，其延伸能力较弱，分枝能力强，在其上或先端多产生须根。其主要功能是吸收养分和水分，产生不定芽，萌发根蘖，繁育新株。但根蘖苗夺取母株的养分，削弱树势，在枣树管理过程中，对无利用价值的萌蘖，应及时除掉。

4. 须根

又称细根、毛细根、吸收根，多生在侧根上，水平根、垂直根上也有少量着生。须根一般粗度为 1～2 mm，长 30 cm 左右，寿命短，能周期性更新，有自疏现象。其主要功能是吸收土壤中的水分和无机盐。在土壤条件适宜的情况下，须根生长最大，吸收能力也较强；反之，则吸收能力较弱，生长量也小。因此，在枣树的管理过程中，加强土壤的肥水管理，增施有机肥，改良土壤，为须根的生长创造良好条件，乃是丰产的基础。

根系的生长活动与温度、水分、通气状况、施肥情况和树势等都有密切关系。春季当土壤温度达到 7.2℃以上时，开始生长，22～26℃时新根出现生长高峰。秋季当土温下降到 21℃时生长减慢；地上开始落叶时，根系则停止生长进入休眠期。根系生长除受温度制约外，还与湿度、土壤透气状况、土壤养分有关。如土壤湿度达 60%～70%，透气良好，土壤肥沃就能加速根系生长，否则，不仅根系生长缓慢，而且还会缩短根系寿命。

枣树根系耐涝性强，短时间积水不会影响树体生长，甚至较长时间涝害，也不致造成树体死亡。据记载，1959年 12 月～1960 年 4 月，黄河三门峡大坝第一次拦洪，灵宝市大王镇后地村一部分枣树被黄河水淹没，有的树冠被淹没 2/3，而水退下后，当年枣树仍开花结果。

(二)芽

枣树枝上的芽有主芽、副芽、隐芽、不定芽 4 种。

1. 主芽

主芽外被褐色鳞片，当年多不萌发，位于叶腋中间，到次年春天多萌发为结果母枝，也有少数萌发为发育枝。枣头的顶芽为主芽，容易连续抽生枣头。枣股的顶芽也是主芽，每年向前延伸很短。

2. 副芽

副芽位于主芽左上方或右上方，当年萌发着不同的发育形态。位于枣头一次枝上的副芽一般发育成永久性二次枝，二次枝上的副芽随着枝条的生长抽出脱落性枝，有的当年即可开花结果。枣股上的副芽绝大多数发育成脱落性枝。因副芽是裸芽，随形成随萌发，故看不到它的外形。

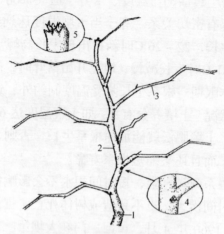

枣头及二次枝和主芽的形态

1.枣头萌发处；　2.枣头主轴；　3.永久性二次枝；
4.枣头枝腋间主芽；　5.枣头顶生主芽

3. 隐芽

有的主芽由于缺少激素的刺激，生长处于抑制状态，暂不萌发，这类主芽称为隐芽。发育枝和枣股上的主芽，大多潜伏而成隐芽。

不定芽萌发状

隐芽的寿命因着生位置不同有很大差别。一般的主枝基部隐芽寿命较长，越靠近枝条顶端的隐芽寿命越短。

4. 不定芽

不定芽的萌发既没有一定的时间，也没有一定的部位，多出现在主干、骨干枝基部或机械伤口处,多由射线薄壁细胞发育而来。一般是骨干枝砍伤后,在愈伤组织上形成数个不定芽,抽生形成发育枝,在更新中起着重要作用。在枣粮间作型枣林的农田耕作中,常因切断侧根而产生不定芽,萌发形成根蘖苗,繁育出新的枣树植株。根据灵宝的气候特点,一般4月上旬开始发芽。

(三)枝

枣树的枝条分为3种,即枣头、枣股、枣吊。

1. 枣头

枣头就是一般果树中所称的发育枝或营养枝,是形成树体骨架和结果单位枝的主要枝条。枣头一次枝基部着生的枝为脱落性二次枝,较上部着生的枝为永久性二次枝。二次枝节部可当年抽生三次枝,即枣吊。枣吊上的叶片,自基部向上,呈渐小趋势。枣头一次枝和二次枝的节部均具有两个由托叶变态的托刺(又称针刺),但二者形态不同。一次枝上

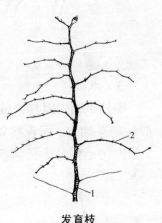

发育枝

1.枣头; 2.二次枝

的托刺直生,较短,大小左右相等。二次枝上的托刺一长一短,长托刺最长可达3 cm,粗壮,直伸;短托刺向后弯曲,长4~6 mm,但还有不具托刺的。枣头一次枝生长量较大,生长期50~90天,生长盛期为5月上旬至6月中下旬,7月下旬基本停止生长。二次枝生长量较小,生长期只有15~20天。

2. 枣股

枣股是缩短的结果母枝,其顶芽每年萌发后很快停止

生长，生长量较小，年生长量仅 2~3 mm，其上可抽生 2~5 个枣吊，一般寿命可达 15~20 年。1~3 年生枣股为幼龄枣股，一般只抽生 1~3 个枣吊；4~7 年生枣股为壮龄枣股，一般可抽生 3~5 个枣吊；8 年生枣股为老龄枣股，抽生枣吊能力和结果能力开始下降。

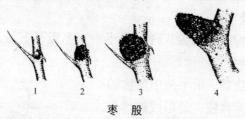

枣　股

1.1 年生枣股；　2.3 年生枣股；　3.5 年生枣股；　4.10 年生枣股

3. 枣吊

即结果枝，因其柔软下垂，故叫枣吊。枣吊多数由枣股的副芽抽生，据观察 4 月中旬是初生长期，4 月下旬到 5 月中旬是枣吊生长盛期，6 月中旬后停止生长，枣吊长 16~21 cm。着生在枣股上的枣吊，花期早，坐果率高，果实个大，是构成枣树产量的主体。枣吊分节，每节着生一个叶片，叶腋间着生一个花序。枣吊中部的花序坐果最好，不仅果实大，而且品质也好。一般正常年份，灵宝大枣 10 月上旬枣吊开始落叶，中旬进入落叶盛期，下旬为落叶末期，枣树进入休眠期。

脱落性果枝(枣吊)

(四)花

1. 花的构造

枣花是枣树重要的生殖器官，属两性完全花类型，为不完全聚伞型花序，着生在枣吊的叶腋处，一般每序开花2~5朵，多者可达7朵。花径一般为6~7mm，其构造具有典型的虫媒花特点，由雄蕊、雌蕊、花盘、花瓣、花萼、花柄等组成。花的最外层是5个黄绿色三角形萼片，排列呈五角星状，第二层和第三层分别为5个花瓣和5个雄蕊，与萼片交错着生。花瓣白色，呈匙形，雄蕊5个，花蕊心脏形，能大量散粉。雄蕊内侧为环形蜜盘(花盘)。在花朵盛开、气温高、大气湿度大时，花盘能大量分泌花蜜，吸引昆虫采蜜传粉。雌蕊着生于花盘中心，柱头发达，二裂，花朵盛开时向两侧分开，极易黏着昆虫传带的花粉。

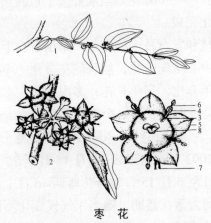

枣 花

1.结果枝开花；2.花序；3.花盘；4.花瓣；
5.花萼；6.雄蕊；7.花柄；8.雌蕊

枣的花蕾开放可分为蕾裂期、花萼平展期、花瓣平展

期、雄蕊平展期、花丝萎蔫期、子房膨大期等6个时期;
发育正常的单花,完成这6个时期需4~6天。从全树来说,
根据开花的多少又可将花的开放分为初花期、盛花期、终
花期3个时期。不同的树龄、树势、气温及立地条件,对
花期的长短均有直接影响。一般枣花的开放是幼树先于老
树;沙土地上幼树开花最早,黏土上衰老树开花最晚。就
一棵树而言,枣花开放以树冠外围最早,渐及树冠内部。
枣吊开花顺序从近基部逐节向上开放,花序中中心花先开,
再一级花、二级花、多级花。

2. 花芽分化

枣树花芽分化,从形态学上可分为苞叶期、分化初期、
萼片期、雄蕊期、雌蕊期5个时期。当枣吊长至0.2~0.3 cm
时,花芽已开始分化;幼芽超过1.0 cm时,花的各部分已
形成,性器官进一步分化。当从外观上可看出花蕾时,花
部器官已分化完成。

枣树果枝和发育枝上的花芽,是由下向上分化的。同
一花序则是中心花先分化,然后侧花分化。枣树花芽分化
的特点是当年分化,当年开花;多次分化,多次开花;分
化速度快,持续时间长。一个单花需8天左右,一个花序
需8~20天,一个枣吊约需30天,全树花芽分化则需100
天左右。据2003年观察记载,5月15日至25日为开花初
期,5月26日至6月15日为开花盛期。6月上旬为落花初
期,6月中旬为落花盛期。随当年气候变化不同,开花期
和落花期提前或错后。

枣树花期适宜温度24~26℃,湿度50%~70%,低温、
干旱、多风以及阴雨天气不利于授粉。

(五)果

枣果在植物学上属核果，子房 2 室或 3 室。枣花授粉受精后果实即开始发育，大体可分为 4 个时期，即初生期、快速生长期、缓慢生长期、渐熟期。

1. 初生期

一般在 6 月上中旬。此期果实细胞迅速分裂，但细胞增长缓慢，果实外型变化不大。

2. 快速生长期

6 月下旬至 8 月上旬。果实细胞分裂一旦停止，细胞体积开始迅速增长，果实的各个部分也相继出现增长高峰。

3. 缓慢生长期

8 月上旬至 8 月下旬。果实的各部分增长速度下降，果核木质化和营养物质迅速积累，果实重量和体积不断增长。

4. 渐熟期

9 月上旬至 9 月下旬。此期的细胞和果实的增长均很慢，主要进行营养物质的积累和转化，果实已达到一定大小，果皮退绿变浅，开始着色，9 月 10 日后，着色速度加快，糖分迅速增加，风味增进，直至完全成熟，具有该品种特有的色、形、味，一般在 9 月 15 日以后。

灵宝大枣落果现象比较严重，一般可分为 3 个时期：①花期落果，也叫前期落果，主要是受精不良或其他因素造成，占落果总量的 20% 左右；②生理落果，又叫中期落果，主要是养分不足或生理失调，占落果总量的 70% 左右；③后期落果，又叫采前落果，主要是病虫、风力危害所致，占落果总量的 10% 左右。为了减少中期落果，争取高产，生产上常采取根外追肥的方法，可起到一定的效果。

第三章　灵宝大枣无公害生产的
概念及质量标准

随着我国农业生产水平的不断提高，社会主义市场经济的不断发展，人们生活水平的改善和食品安全意识的增强，消费者对食品的需求，逐步由"数量型"向"质量型"转变，对食(果)品的种类、质量、营养和保健功能均有了新的要求，特别是对食(果)品的卫生指标和安全性能更加关注，无公害枣果越来越受到广大消费者的重视，成为消费者的追求目标。

作为无公害枣果的生产者和经营者——枣农，就要顺应时代发展的要求，适应市场经济的运行规律，生产出市场上适销对路的产品，较好地实现产品的经济价值，以达到自己追求高收益的目的。那么，怎样才能较好地实现产品的经济价值和高效的目的呢？必须做到以下 3 点：一是不断地学习并掌握新的科学技术和理论，更新知识结构，将新技术、新理论应用于实践；二是树立新的经营理念，抛弃小农生产意识，实现灵宝大枣的产业化；三是实施《灵宝大枣无公害生产技术标准》，提高大枣生产的技术水平和产品质量，最终使灵宝大枣跨出国门走向世界，实现更高的经济效益。

一、无公害食(果)品发展的历史与背景

早在 20 世纪 70 年代，一些工业发达国家发现化肥和

农药对农业环境造成了严重污染，以至于影响到农业产品的质量，人们食用有害的农产品影响到身体健康，便提出发展有机农业的新概念。随着工业水平的不断提高，施入农田的化学物质(主要是农药和化肥)逐年增加，对环境的污染愈来愈重，许多国家相继提出了发展生物农业或生态农业的概念。我国政府在吸取了发达国家的经验和教训后，于20世纪80年代初提出了发展生态农业的观点。这些观点的核心内容是减少或限制农用化学物质的用量，保护农业生态环境，提高食品安全性。到90年代初期，农业生态环境的污染更加严重，由此造成影响人类生存和发展的问题更加明显，于是，农业可持续发展问题便摆在了世界各国人民面前。1991年，联合国与荷兰政府联合召开了"农业与环境国际会议"，对农业可持续发展提出了完整的定义。1992年，联合国在巴西召开了"世界环境与发展"大会，通过了《21世纪议程》等重要文件，其核心内容就是走可持续发展道路，把可持续发展作为全球未来共同的发展战略。

由此可见，实现农业的可持续发展，就必须减少化学工业品对农业环境的污染，即由"石油"农业向有机农业、生态农业或生物农业方向发展。据此，许多国家对农产品的生产提出了体现"食品安全"思想的农产品概念，如有机食品、生态食品、生物食品、自然食品、纯天然食品、无公害食品和绿色食品等。

二、无公害食品的概念

我国政府有关部门根据农产品的生产条件和对产品的

质量要求，将优质、安全的农产品分为无公害食品、绿色食品和有机食品。

(一)无公害食用农产品

无公害农产品是指产地环境、生产过程和产品质量符合国家有关标准和规范的要求，经认证合格，获得认证证书并允许使用无公害农业产品标志的未经加工或者初加工的食用农产品。

无公害农产品管理工作，由政府推动，并实施产地认定和产品认证的工作模式。全国无公害农产品的管理及质量监督工作，由农业部门、国家质量监督检验检疫部门和国家认证认可监督管理委员会按照国务院的有关规定分工负责。国家鼓励生产单位和个人申请无公害农产品产地认定和产品认证。省级农业行政管理部门根据《无公害农产品管理办法》的规定负责实施本辖区内无公害农产品产地的认定工作。申请无公害农产品产地认定的单位或个人，应向当地县级农业行政主管部门提交书面申请。无公害农产品的认证机构，由国家认证认可监督管理委员会审批，并获得国家认证认可监督管理委员会授权的认可机构的资格认可后，方可从事无公害农产品认证活动。申请无公害农产品认证的单位或个人，应向无公害农产品认证机构(农业部农产品质量安全中心)提出书面申请，经认证机构对其产品质量检测合格后，才允许使用无公害农产品标志。无公害农产品标志使用有效期为 3 年，过期欲想继续使用需重新申请办理有关手续。

(二)绿色食品

绿色食品是指专门机构认定，许可使用绿色食品标志的无污染的安全、优质、营养食品。绿色食品分为 AA 级和 A 级两种。

AA 级绿色食品是指在生态环境质量符合规定标准的产地，生产过程中不使用任何有害化学物质，按特定的生产操作规程生产、加工，产品质量及包装经检测、检查符合特定标准，并经专门机构认定，许可使用 AA 级绿色食品标志的产品。

A 级绿色食品是指在生态环境质量符合规定标准的产地，生产过程中允许限量使用限定的化学合成物质，按特定的生产操作规程生产、加工，产品质量及包装经检测、检查符合特定标准，并经专门机构认定，许可使用 A 级绿色食品标志的产品。由此看出，绿色食品并非天然食品、野生食品或绿色的产品，而是在特定的环境中，按照严格的生产、加工、包装等标准生产的优质食品。

1992 年 11 月，我国农业部成立了中国绿色食品发展中心，负责全国的绿色食品管理工作，并在全国各省、自治区、直辖市设有委托和管理机构，负责管理辖区内绿色食品生产和产品标志使用的有关事宜。拟开展绿色食品生产的单位和个人要向所在省、自治区、直辖市绿色食品办公室提出申请，并对生产基地进行实地考察和检测，对其产品按照绿色食品标准进行质量检测。各项指标均合格后，上报中国绿色食品发展中心，由该中心与申请单位或个人签订绿色食品标志使用协议书，颁发绿色食品标志使用证书，同时向社会公布。绿色食品标志使用期为 3 年，过期欲想继续使用，须重新申请办理有关手续。

(三)有机食品

有机食品是指来自有机农业生产体系，采取有机农业生产规范即在生产和加工过程中不使用化学合成的农药、化肥、生长调节剂、添加剂等物质，以及基因工程植物及其产物，而是遵循自然规律和生态学原理，采取一系列可持续发展的农业技术，维持农业生态系统持续稳定的生产方式进行生产，经有机食品认证机构认证，允许使用有机食品标志的食品。

我国有机食品管理由国家环保总局负责。1994 年，国家环保总局成立了有机食品发展中心。从 1995 年开始，国家环保总局正式批准了《有机产品标志管理办法》和《有机食品生产和加工技术规范》等有机食品认证的文件。1998年，又根据国际有机农业运动联合会的有关标准，对我国的标准进行了修改和完善，2001 年，国家环保总局发布了《有机食品认证管理办法》，同年 12 月份又发布了《有机食品技术规范》。这些文件的颁布实施，为我国有机食品管理提供了依据。

从事有机食品生产的单位或个人，要按《有机食品认证管理办法》的要求向有机食品认证机构提出书面申请。有机食品认证机构根据规定对有机食品生产基地、生产过程、加工过程等进行严格检测和审查，所有项目符合要求后，颁布有机食品认证证书。有机食品认证证书有效期 2 年，期满欲想继续使用，须在期满前 1 个月向原有机食品认证机构重新提出申请。

从以上可看出，无公害食品、绿色食品、有机食品都是经国家有关机构认证并纳入规范化管理的食品，它不同于一般食品。需指出的是，当前枣农对经国家认证的农产品的重要性认识不够，认为不经国家认证的枣果，照样能销售。这种经营理念虽然在目前暂时还能适应，但从长远看，却不利于枣农的发展。如果按照规范化管理程序操作，产品一经国家认证机构认证，带来的效益将是无限的，经济效益就会成倍增长。更何况经济在发展，科学在进步，市场经济机制在逐步完善，人们的健康意识在不断增强，对食品安全性的要求愈来愈强烈，一些不规范的管理会逐渐被淘汰，一些垃圾食品在市场竞争中逐渐会消声匿迹，只有摒弃旧的经营理念，取而代之以新的经营思路，并不断更新，才会在市场经济大潮中永立不败之地。我国已加入世贸组织，外国的一些果品不断地进入国内市场，而国内的一些果品也会跨出国门走向世界，前提必须是无公害食品。所以，枣农一定要充分认识到无公害果品生产的重要性，一定要按照无公害果品生产技术标准去操作，有百利而无一害。

三、灵宝大枣无公害产品质量标准

(一)灵宝大枣无公害质量标准具有特定内容

无公害灵宝大枣，不是指在常规管理下所生产的枣果，它具有特定内涵，质量达到特定标准。其质量标准包含理化标准和卫生标准。理化标准是衡量无公害枣果质量优劣高低的主要依据，包括可溶性固形物、总糖和总酸等指标。卫生标准是无公害枣果的安全保障，其内容包括农药残留的最高限量、氟和重金属砷、铅、汞与铜的最大允许含量等。

(二)灵宝大枣无公害的适用质量标准

2001 年，我国农业部开始实施"无公害食品行动计划"，力争用 5 年的时间，使大多数农产品及加工产品质量达到无公害食品标准。2002 年，农业部农产品质量安全中心将苹果、柑橘、香蕉、芒果、鲜食葡萄、梨、猕猴桃、桃和西瓜等 10 种水果列入《第一批实施无公害农产品认证的产品目录》，制定和颁布了 10 种水果的产品标准、生产基地环境条件及生产技术规程，并已在无公害生产中开始实施。农业部已安排有关重点产枣省制定枣产品无公害质量标准和生产技术规程。

三门峡市质量技术监督局与三门峡市林业局历时 2 年，对三门峡市红枣种植进行广泛深入调查研究，通过对比试验和测定分析，并参照国内外先进标准的基础上，于 2004 年 10 月制定并颁布了三门峡市红枣无公害生产技术地方标准 DB4112／T102－T114－2004。灵宝大枣无公害技术标准适用于本标准，生产上请参照该标准执行。在 DB4112／T102－2004 中，对红枣的理化标准和卫生标准规定如表 3-1 ～ 表 3-3 所示：

表 3-1　鲜枣主要理化成分标准

项目	指标
可食部分	≥90%
含水率	40% ～ 60%
含糖率	25% ～ 35%
含酸率	2.2% ～ 3.0%
VC(mg/100 g)	15

表 3-2　干枣主要理化成分标准

项目	指标
可食部分	≥90%
含水率	≤25%
含糖率	70% ～ 80%
含酸率	1.0% ～ 2.0%
VC(mg/100 g)	10

表 3-3 红枣质量卫生标准 （单位：mg/kg）

项目	指标	项目	指标
汞(以 Hg 计)≤	0.005	马拉硫磷(mg/kg 计)≤	0.1(0.3)
铅(以 Pb 计)≤	0.05	辛硫磷(mg/kg 计)≤	0.05(0.05)
氟(以 F 计)≤	0.5	氯氰菊酯(mg/kg 计)≤	1.0(1.2)
镉(以 Cd 计)≤	0.03	溴氰菊酯(mg/kg 计)≤	0.05(0.1)
砷(以 As 计)≤	0.1	氰戊菊酯(mg/kg 计)≤	0.1(0.2)
敌敌畏(mg/kg 计)≤	0.1(0.2)	百菌清(mg/kg 计)≤	1.0(1.0)
乐果(mg/kg 计)≤	0.5(1.0)	多菌灵(mg/kg 计)≤	0.2(0.5)

四、灵宝大枣无公害栽培环境质量标准

生态环境与枣果污染有着密切关系。实施大枣无公害栽培，生产无公害枣果，就必须使所栽培的枣树生长在水质、土质与空气质量安全的生态环境中。建园时，必须注重地点的选择，应选择空气安全，水质洁好，土壤无害，远离城市、工矿区、公路和铁路交通要道，附近没有污染源，生态环境良好的地方。产地环境条件要符合 DB4112 / T103—2004。

(一)环境空气质量标准及检测

无公害枣果园的环境质量标准见表 3-4。

表 3-4 无公害枣果园的环境质量标准

项目	标准	
	日平均	任何一次
二氧化硫(mg/m³)	0.05	0.15
氮氧化物(mg/m³)	0.05	0.10
总悬浮微粒(mg/m³)	0.15	0.30
氟(μg/m³)	7	

表 3-4 中"日平均"为任何一日的平均浓度不许超过的限值。"任何一次"为任何一次采样平均浓度不许超过的限值。采样时间为一天 3 次：7：00～8：00，14：00～15：00，17：00～18：00，连续采样 3 天，求得平均值，方可作为有效的参数使用。

(二)农田灌溉用水质量标准及检测

无公害枣果园的农田灌溉用水质量标准见表 3-5。

表 3-5　无公害枣果园的农田灌溉用水质量标准

项目	指标	项目	指标
pH 值≤	5.5～8.5	铬(六价)≤	0.1 mg/L
总汞≤	0.001 mg/L	氯化物≤	250 mg/L
总镉≤	0.005 mg/L	氰化物≤	0.5 mg/L
总砷≤	0.1 mg/L	氟化物≤	3.0 mg/L(一般地区)
总铅≤	0.1 mg/L		

灌溉水的检测，在灌溉期间进行，采取水样的点，要选在灌溉水口上，各项数值应为灌溉期多次测定的平均值。

(三)加工用水质量标准及检测

无公害枣果的加工用水质量标准见 3-6。

表 3-6　无公害枣果的加工用水质量标准

项目	指标	项目	指标
pH 值≤	6.5～8.5	氰化物≤	0.05 mg/L
汞≤	0.001 mg/L	氟化物≤	1.0 mg/L
镉≤	0.001 mg/L	氯化物≤	250 mg/L
铅≤	0.05 mg/L	细菌总数	100 个/mL
砷≤	0.01 mg/L	大肠杆菌	3.0 个/L
铬(六价)≤	0.05 mg/L		

加工用水检测，在加工期间进行，采取水样为随机取样，各项数值应为加工期间多次测定的平均值。

(四)土壤环境质量标准及检测

土壤污染情况,对枣树生长及果实安全性状影响很大。因此确保土壤的安全无害性，使其各项污染物含量都在国家规定的标准之内，对于枣树无公害栽培，具有非常重要的意义。所以，生产无公害枣果的枣园土壤环境质量要达到国家规定(GB/T1840.7.2—2001)的标准(见表3-7)。

表3-7 无公害枣果园土壤质量标准

项目	标准(≤)		
	pH 值<6.5	pH 值 6.5～7.5	pH 值>7.5
总汞(mg/kg)	0.3	0.5	1.0
总砷(mg/kg)	40	30	25
总铅(mg/kg)	250	300	350
总镉(mg/kg)	0.3	0.3	0.6
总铬(mg/kg)	150	200	250
六六六(mg/kg)	0.5	0.5	0.5
滴滴涕(mg/kg)	0.5	0.5	0.5

根据产地条件及产地面积确定采样点的多少，推荐 1～2 hm^2 为一个采样单元，采样深度为 0～60 cm，多点混合(5 个点)为一个土壤样品。样品量多时，采用四分法将多余的土壤弃取，留 1 kg 左右供分析检测。各个项目的质量测定采样和数理统计，均须按相关检测方法的具体规定执行。

无公害食品、绿色食品、有机食品的概念和定义，是国家有关权威部门制定和颁布的，申报、认定、认证、审批的程序比较严格。本章介绍的无公害大枣的理化标准、卫生标准、空气质量标准、灌溉用水和加工用水质量标准、土壤质量标准等，是经三门峡市质量技术监督局和三门峡市林业局，在参照国内外先进标准的基础上制定并颁布的。枣农在生产上只有严格按照这些标准去操作，其产品方有资格取得无公害大枣的质量认定和认证，才能通过有关职能部门的审批。使用无公害食品的标志未通过有关部门的认证和审批，是要追究法律责任的。生产无公害大枣必须严格执行以上介绍的质量标准，并且要严格执行肥料和农药使用标准，这在以后章节中将作介绍。

第四章 育 苗

　　灵宝大枣苗木繁殖，根据生产情况总结起来有4种方法，即根蘖繁殖、嫁接繁殖、扦插繁殖、组织培养。目前生产上大面积采用的是根蘖繁殖和嫁接繁殖。这两种育苗方法的优点是投资小，易掌握，操作简单，但育苗周期长。扦插繁殖和组织培养，目前生产上运用较少，其优点是育苗周期短，速度快，工厂化生产，能培育出无毒苗木，但投资大，技术含量高，集约化程度高。现就根蘖繁殖和嫁接繁殖两种育苗技术作以介绍。

一、根蘖繁殖

　　此种育苗方法有3种形式。

(一)自然根蘖育苗法

　　自然根蘖育苗，就是将母树周围自然萌生的幼苗培育成苗木。灵宝大枣树水平根系发达，枣园大树周围每年都会生出很多根蘖苗，利用其育苗时，于当年6月份待根蘖苗长至30 cm高左右，每丛只留1株健壮苗，其余全部除掉。以后伴随枣树的土壤管理，进行施肥浇水，待秋季就可移植。这种方法简单易行，但出苗量有限，苗木大小不一，根系发育不好，移栽成活率低。

(二)断根分株法

　　在春季枣树发芽前，选健壮的20~30年生枣树在树冠两侧，距树干 2～3 m 处，顺行挖沟育苗，沟深 40～50 cm、宽 30～40 cm，把沟中露出的直径 2 cm 以下的枣根切断，并用松散湿土覆盖所有断根。若行间没有间作物，可再向外每隔 1 m 左右挖沟，也可在株间挖短沟。切断的根 5 月份就会长出根蘖苗。当根蘖苗长至 30 cm 左右时，进行间苗，去弱留强。每丛只选 1 株，并注意株间距。一般株间距不低于 15 cm，然后再覆土一次，覆土深度以盖住幼苗 1/3 左右为宜。其间，幼苗应与母树断根脱离，以促发新根。以后结合土壤管理，进行施肥浇水，加速幼苗生长，待秋后即可移植。这种方法与自然根蘖育苗相比，出苗数量多，便于管理，且苗木质量相对较好，但连年在同一枣园育苗，则会削弱母树。所以，应增加肥水管理，复壮树势。

(三)归圃育苗

归圃育苗是把枣园中自然生长零星分布的根蘖苗收集起来集中到苗圃继续培养。由于加强了肥水管理，使苗木根系发育好，长势整齐，提高了苗木质量，栽后成活率高。依据三门峡市无公害红枣生产苗木繁育，枣树根蘖归圃育苗技术规范 DB4112/T104—2004 的标准，灵宝大枣的归圃育苗有如下要求。

1. 苗木标准

灵宝大枣根蘖归圃育苗必须达到苗壮、苗匀、苗足，成品苗在 6 000 株/亩以上。

(1)苗壮：指枣苗生长健壮，发育良好，叶色浓绿，无病虫危害，根系发达，出圃时直径 1.5 mm 以上的再生新根在 7 条以上。

(2)苗匀：指枣苗稀稠均匀，生长较整齐。

(3)苗足：指每亩出圃成品苗不少于 6 000 株。

(4)成品苗：株高 80 cm 以上，地径 0.8 cm 以上，须根 7 条以上，无病虫危害。成品苗分级标准见表4-1。

表 4-1　成品苗质量标准

级别	地径 (cm)	苗高 (cm)	根系	其他
Ⅰ	≥1.0	≥100 以上	根幅 30 cm,侧根 8 条以上	无病虫危害，起苗时根系完整，无创伤
Ⅱ	≥0.8	≥80 以上	根幅 25 cm,侧根 7 条以上	无病虫危害，起苗时基本无根伤，干伤

2. 育苗前准备

(1)根蘖苗采集：春季育苗时，在枣园采挖萌生根蘖苗。苗高 50 cm 以上，随育随采。

(2)苗圃地选择：苗圃地选择土壤肥沃，地势平坦，水源良好，排灌方便，不重茬的地块。

(3)整地：耕地时，每亩撒施腐熟圈肥 3 000 kg 或腐熟鸡、猪粪 1 000 kg；5%辛硫磷颗粒 2 ~ 2.5 kg，随即深翻(25 cm 左右)耙匀，根据水源走向修好干、支渠。

3. 育苗

(1)根蘖苗整修：在 3 月底至 4 月上旬，将根蘖苗起出(多少根据当天育苗量定，防止风干)，用修枝剪把并生新梢、枝杈剪掉，剪去劈、断根，每株保留 1 条新梢，新梢留 10 ~ 20 cm 长，饱满芽 2 ~ 3 个，余者剪去。

(2)做畦、育苗：畦宽 160 cm，畦长根据地形 30 ~ 50 m，每畦 4 垄。行距 40 cm，株距 25 cm，每亩种苗 6 666 株。要求根系舒展，土砸实。苗子育后立即浇水，浇水后及时培一次土。

4. 抚育管理

当第一次浇水过后，要及时松土、保墒，提高地温，以利芽的萌发，以后视土壤墒情，进行浇水、中耕除草。萌芽后，选留壮芽一个，其余抹掉。当新梢长 15 cm 左右，穴施或开沟条施尿素 15 kg/亩，施肥后浇水。育苗期一般施肥 2～3 次。若有食叶害虫，喷 25%溴氰菊酯 500～1 000 倍溶液进行防治；若有病害，喷 1∶2∶200 波尔多或百菌清 75%可湿性粉剂 600 倍液进行防治。

5. 起苗出圃

在起苗前 5 日浇水，以利操作，同时保持了枣苗根系有充足的水分，防止因运输而使苗根严重脱水。起苗时，顺垄用镢头刨大坑，尽量保持根系完整，切忌生拉硬拽苗木，造成断根、伤根、伤干。

6. 分级包装

包装前须到当地森林病虫害防治检疫部门报检，取得产地检疫合格证或植物检疫证；报请当地种苗管理部门对苗木进行质量检验，取得苗木质量合格证。

起好的苗木，用修枝剪对二次枝留 1～2 个芽进行剪除，按照表 4-1 的分级标准进行分极，而后每 20～50 株一捆。每捆附一张产地标签，标签必须标注树种或品种名称、产地、质量指标、检疫证编号、种苗生产及经营许可证编号、生产日期、生产者或经营者名称、地址。若近距离运输，用水浸蒲草包裹根系或用塑料纸将根系包严，即可装车运输；若远距离长途运输，用泥浆蘸根，整捆装入塑料袋内，捆扎紧装车，车上盖帆布篷方可运输。枣苗运到造林地，应立即栽植，栽植有困难时应当假植并充分灌水。

二、嫁接繁殖

嫁接繁殖育苗，是枣树育苗的主要途径，其优点是，苗木健壮，产苗量大，根系好，造林成活率高，但育苗时间长。依据三门峡市无公害红枣生产，枣树嫁接育苗技术规范 DB4112/T105—2004 的标准，下面对灵宝大枣的嫁接育苗技术标准作以介绍。

(一)育苗标准

育苗标准要达到砧穗亲和力强，嫁接成活率高，苗壮、苗匀、苗足。

(1)砧穗亲和力强：所选砧木与接穗要有较好的亲和能力，接后不出现大脚苗或小脚苗，嫁接部位愈合牢固，成活率高。

(2)苗壮：指苗木长势健壮，发育良好，叶色浓绿，根系发达，造林成活率高。

(3)苗匀：指苗木长势整齐，苗木稀稠均匀。

(4)苗足：每亩产成品苗在 7 000 株以上。

嫁接苗质量标准见 4-2。

表 4-2　嫁接苗质量标准

级别	地径(cm)	苗高(cm)	根系状况
Ⅰ	≥1.2	120 以上	根系发达，长 15 cm 以上侧根 8 条以上
Ⅱ	≥1.0	100 以上	根系较发达，长 15 cm 以上侧根 6 条以上

(二)育苗前的准备

1. 种子准备

灵宝大枣育苗种子，常采用当年 9、10 月份采收的新

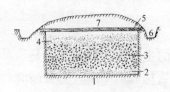

鲜酸枣种子，种子要饱满，充分成熟。酸枣脱去果肉，清水洗净晾干进行层积。层积前用清水浸泡 2～3 天，在背阴通风处挖窖，湿沙贮藏，沙含水量 60%，握之成团，松之即散。种与沙比例 1：6，贮藏时间不少于 90 天，期间翻窖 3～4 次。

层积沙藏处理

1.土层；　2.沙层；　3.枣核和湿沙混合；　4.沙层；　5.草席；　6.排水沟；　7.覆盖土层

2. 圃地选择

育苗地选择土壤深厚肥沃，地势平坦，排灌条件有保障的壤质土地。

3. 整地作床

耕地前每亩施入腐熟圈肥 3 000 kg 或腐熟鸡粪 1 000 kg，撒 5%辛硫磷颗粒剂 2～2.5 kg，深耕耙平，根据水源走向修好灌溉渠道。苗床一般做成弧形垄床，床宽 40 cm，

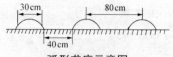

床面宽 30 cm，垄脊间距 80 cm，垄间距 40 cm，床长 30～50 m，达到上虚下实。

弧形垄床示意图

(三)播种

1. 播种时间

当 3 月下旬至 4 月上旬，此时沙藏种子部分露出胚根，即可播种。也可在秋冬土壤封冻前，采收的种子不经处理，直接播种。

2. 播种方式

采用宽窄行播种，窄行 30 cm，宽行 50 cm，以利嫁接时人工操作。播种方法采用点播或条播。点播穴距 15～20 cm，穴深 4 cm，每穴 3～5 粒种子，随即覆盖湿润细土轻压。条播锄角开沟，深 5 cm，撒匀种子，覆盖细土，每亩播种量 20～30 kg。播种后，随即用塑料薄膜覆盖。

也可采用去核后的酸枣仁于 4 月上旬，经温水浸泡 12 小时后进行点播，每穴 3～5 粒，每亩播种量 2～3 kg，播后覆盖塑料薄膜，效果更佳。

(四)抚育管理

幼苗出土时，在地膜上抠孔引苗。特别是上午 11 点到下午 3 点，是抠孔的关键时期，以防幼苗烫伤。出苗期要经常注意土壤湿度，如干旱要适当浇水。当幼苗达到 5～6 片真叶时进行间苗，间下的苗还可移栽。当苗高 10～15 cm 时，开始追肥，每亩施尿素 10～15 kg，施后浇水。当苗高 30 cm 时摘心，使苗茎加粗，并用铁锨在苗一侧断其主根，促其侧根生长。

(五)嫁接

枣树嫁接分两种方式，即芽接和枝接。芽接是在生长期的 7～8 月份，采当年生的枣头或二次枝上的嫩芽，在地径 0.5 cm 以上的砧木上嫁接，一般生产上采用此方法的较少。因砧苗有刺，不利于操作。枝接常采用的方法有劈接、切接和插皮接等，嫁接时间在春季 4 月上旬以后。实践证明插皮接成活率往往高于劈接和切接，在此着重介绍枝接的方法。

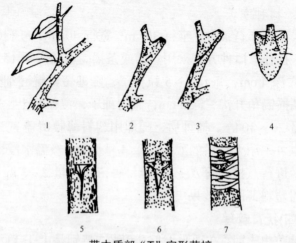

带木质部 "T" 字形芽接

1.当年生主梢的一部分；　2.接芽取自二次枝的基部；
3.削取接芽按 "T" 形芽片削取，但需保留芽片下边的木质部；
4.芽片正面；　5.在砧木平滑处开一个 "T" 字形切口；
6.将芽片插入 "T" 字形切口；　7.用塑料条绑缚

1. 接穗采集与蜡封

当枣树落叶进入休眠期后至萌芽前，是接穗采集的时间，1~3 月份采集最佳，采集过早，保存期长，增加负担，若保存不善，易造成接穗失水，变成无用接穗。采集过晚，影响嫁接成活率。

(1)采集：枣芽的饱满程度，直接影响着成活率和新梢的生长势。选择健壮、丰产、无病虫害的母树，采集当年生一次枝(枣头)或健壮的二次枝，用剪枝剪截取接穗，每芽一穗。

(2)蜡封：接穗采集后，必须进行蜡封，这对延长接穗贮藏期和提高嫁接成活率十分重要。一般是当天采集，当天蜡封。蜡封要求技术较高，所用物料有一定的比例，通常石蜡占92%，猪油占5%，松香占3%，混合使用。先用大火将猪油和石蜡熔化，再将松香倒入锅中，而后用文火将温度控制在110～120℃之间。温度低接穗上蜡层厚，不利于嫁接；温度高易烫伤芽体，不利于成活。其方法是：取少量接穗放在笫篱上，放入蜡锅中迅速拿出，入锅时间控制在1～2秒钟。拿出后将接穗摔向水泥地板，使其疏散，待接穗冷却3～5个小时，收集装入塑料袋在冷库贮藏，贮藏温度保持在5℃以下。

2. 砧木选择

主要指砧木的地径粗细程度。根据生产实践，砧木地径在0.7～1.2 cm最好，过粗，剪砧木困难，过细，砧穗接触面小，不利成活。若采用皮下嫁接法，砧木地径最细不能低于0.5 cm。

3. 嫁接

(1)插皮接：插皮接这种嫁接方法，在枣树嫁接上优于其他方法，且嫁接时间长，从4月上旬至5月中旬，都可以进行，但以4月份嫁接成活率最高。

剪砧：于砧木距地面3～5 cm处剪断，在砧木迎风面用刀尖将剪口的皮层向下撬开一个裂缝，长1.5～2 cm。

削穗：削穗刀要锋利，并备长约20 cm、粗5 cm一垫木，在垫木一端开一斜面，备削穗时垫用。取接穗在芽的对端削成2～3 cm的大斜面，再在背面削个小斜面，削面要平直、光滑。

垫木

嫁接：将削好的接穗大削面对着砧木的木质部，将接穗先端慢慢插入砧木皮层缝内，注意不要撑裂接口皮层,不要把削面全部插入,外露 0.3 cm 左右。

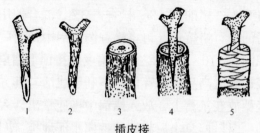

插皮接

1.接穗切面;　2.接穗背面的小切面;　3.在砧木上开一切口
4.将接穗插入砧木切口;　5.用塑料条把结合部绑缚好

绑扎:接好后立即用塑料条绑扎,包严伤口。最近几年,枣农在嫁接绑扎过程中,有的将整个接穗用塑料条从上到下全部包严,有的绑扎后用塑料袋套在接穗上,下端口与砧木绑紧。其作用是减少接穗水分蒸发,提高嫁接成活率。最后在砧木周围培土。

(2)劈接:适用于砧木直径在 0.8 cm 以上者。

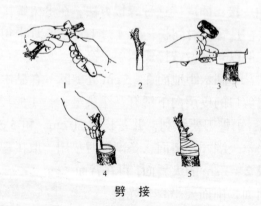

劈　接

1.削取接穗;　2.接穗的斜面;　3.劈开砧木;
4.将接穗插入砧木切口;　5.用塑料条绑缚结合部

剪砧：在距地面 5 cm 左右处剪断砧木，并削平断面，然后从断面中心向下劈，劈口长 3～4 cm。

削穗：将接穗基部削两个对称的斜面，成 3 cm 的楔形，削面平直光滑。

嫁接：将削好的接穗立即插入砧木的劈口中，砧穗形成层对准，注意不要把削面全部插入，外露 0.3 cm 左右，有利伤口愈合。

绑扎：方法同插皮接。

(3)切接：切接法常用于较粗的砧木。

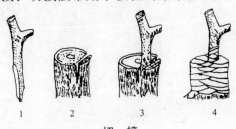

切 接

1.接穗的侧面； 2.将砧木的一侧劈一接口；
3.将接穗按劈法插入砧木； 4.用塑料条绑缚

剪砧：离地面 5 cm 左右处剪断砧木，在断面的一侧垂直向下切开，长约 2 cm。

削穗：在接穗下端削一斜面，长约 2 cm，再在长削面对侧削一短削面，长 1 cm 左右。

嫁接：把削好的接穗迅速插入砧木的切口中，长削面靠里，并使一侧的形成层对齐。

绑扎：方法同插皮接。

4. 嫁接后的管理

嫁接成活后注意及时除萌和松绑，若接穗套袋的及时去袋。当嫁接苗高15 cm时开始施肥,每亩施尿素15~20 kg,半月追肥1次,连追3次。追肥后浇水,并进行相应的中耕除草,注意操作中不要碰伤接芽。若嫁接未成活,砧木的萌芽清除时要保留一个健壮芽,使其发育,备以后重接。病虫害防治同根蘖育苗。

5. 起苗出圃

其方法同根蘖育苗。

6. 分级包装

其方法同根蘖育苗。

第五章　建　园

枣树寿命一般较长，但园地选择正确与否，直接影响着它的产量和寿命。新建枣园，应按三门峡市无公害红枣生产建园栽植技术规范 DB4112/T106−2004 的要求进行。

一、园地选择

(一)位置

灵宝大枣适应性强，荒山、平地、河滩、四旁均可栽植。虽然灵宝大枣对土壤要求不严，但是光照充足、排水良好、土层深厚肥沃、质地疏松的沙壤平地上栽植为最好。

(二)地貌

山区、丘陵、平原、盆地均可栽植，山区阳坡栽植为佳，深山区不宜发展。

(三)土壤

一般 pH 值在 6.5 ~ 8.5 范围内，总盐分含量在 3%以下的沙质土、壤土、黏土均可。以土层厚度在 60 cm 以上，土壤肥沃的微碱性或中性沙质壤土生长结果最好。

二、园地建立

枣树栽植看似简单，其实此项工作是一项复杂的系统工程，涉及的内容和因素较多。例如经营方式、整地规格、栽植密度、授粉树种配置等等，都要有一个系统规划和考虑，使各项生产活动得到科学合理安排，以达到事半功倍的效果。

(一)确定经营方式

不同的经营方式有着不同的经营措施和效果。生产上常采用的经营方式有 3 种，一是枣粮间作型，二是纯枣园型，三是四旁栽植。采取哪种经营方式，主要取决于耕地面积和群众的经营习惯。一般纯枣园的建立，在栽植后的前 5 年可进行枣粮间作，5 年后由于树冠扩大树冠将地面覆盖，不再进行枣粮间作。在土地面积小，又想发展大枣的地方，在建园时就选择枣粮间作的经营模式，采取小株距，大行距的栽植方式。

(二)确定栽植密度

灵宝大枣枝条极性生长强，树冠较大，是其他枣树所不及的。据在大王镇枣区调查，一棵枣树冠幅占地面积在 60 m^2 以上的比比皆是，树高有的可达 12 m 以上，所以同梨枣、冬枣、金丝小枣、新郑灰枣等枣树相比，其栽植的株行距要大、密度要小。同时要与经营方式和管理方便程度相结合进行确定，一般枣粮间作型株行距多为 5 m × (7 ～ 8)m；纯枣园型一般为 5 m × 6 m。但当前枣树栽植要与工程项目结合，按工程项目的要求密度来确定。如退耕还林工程，它要求枣树的栽植密度每亩 40 ～ 80 株。若按此规定的密度来栽植灵宝大枣，显然是不科学的，但这是国家的一项大型工程，在制定树种的密度时，它不可能面面俱到。因此，在操作时可将灵宝大枣与冬枣、梨枣或其他枣树混交栽植，采取几个品种混交的方式，以弥补因灵宝大枣结果晚而见效迟的缺陷，发挥其他品种结果早、树冠小的优势。待到一定年限，其他品种影响到灵宝大枣的生长时，再将其他枣树刨掉，这样既保证了国家工程项目对大枣密度的要求，又达到了早见效的目的。

(三)授粉树种配置

大枣是自花授粉，但不同品种间的开花授粉，可显著地提高结实率和果实品质，这已被生产实践所证明。所以，在建园时，要打破传统的经营观念，适当配置授粉树种，提高大枣的产量和品质。

在选择授粉树种时，应注意选择与灵宝大枣花期相同，且有较强的亲合力，并能产生大量花粉的品种。经考察论证，大荔秤锤枣、赞皇大枣、金丝小枣、长果圆铃枣、圆铃枣、灰枣、相枣等，是值得推荐的几个品质优、产量高、花粉多的授粉树种，其栽植比例应占灵宝大枣的10%左右。在配置模式上，纯枣园实行行间配置，枣粮间作实行株间配置。

(四)整地挖穴

整地方式依据所选园址的地形地势而定。平地建园，要求每个栽植行平整，每行起垄，以利浇水。丘陵地建园，梯田要求内低外高，地边起 30 ~ 50 cm 高的土埂，以利保水。地形如果不规则，最少是每棵树整出一个 6 ~ 8 m² 的平整树盘。树行应采用南北方向，以利采光。

挖穴穴数根据密度而定，穴的大小一般是 1 m × 1 m × 1 m；如果土层薄，穴的大小为 1 m × 1 m × 0.8 m。挖穴时，表土与心土分放在穴的两边。

(五)回填

栽植前要将所挖的穴进行土壤回填，回填时每穴施入腐熟的有机肥 20~30 kg，同表土充分掺匀，放入穴内，表土在下，心土在上。

(六)苗木根系处理

枣树根系伤口愈合慢，生根难，特别是在起苗时如果不细心，伤根太多，根系少，往往会造成栽植后当年不发芽，影响着枣树的生长。为了促使根系萌发，在栽植前需用 ABT 生根粉进行浸泡处理。其方法是，将 1 g 生根粉先溶解在 0.5 kg 的 90%~95%的酒精中，再加入 0.5 kg 蒸馏水或凉开水，即配成 1 000 mg/kg 的 ABT 生根粉原液。使用时，将原液兑清水 20 kg 就可进行根系浸泡。生产上，往往是按上述比例将生根粉稀释好，挖一大坑，坑内铺好不渗水的彩条塑料布，倒入稀释好的 ABT 生根粉液，将枣苗一捆一捆地放在坑中，使溶液淹没根系，浸泡时间 12~24 小时。

(七)栽植

枣树从落叶到第二年枣树发芽前都可进行栽植，但一般多在春秋两季。秋季栽植，往往是在落叶后至土壤封冻前进行，根系在土壤中经过一个冬季，伤口容易愈合。北方冬季气候比较寒冷干燥，又多刮大风，栽后树干要进行保护。其方法是：用石灰水涂干，再用稻草缚干，或者用石灰水涂干后，用塑料袋套干，以防止树干失水，提高成活率。春季栽植，一般在树液开始流动到发芽前进行，时间在 3 月下旬至 4 月上旬，但以芽体开始萌动时栽植最好。2001 年春季，大王镇后地村移植 8 000 余株的 8 年生大树，成活率在 95%以上。

栽植时，将苗木垂直放入穴正中，使其根系舒展，做到"三埋二踩一提苗",砸实,使根系与土壤密接,并在苗木周围垒出土埂。栽后浇水,水要浇足浇透,若是旱地,浇后需覆盖塑料薄膜,进行保墒增温。

三、栽后管理

枣树的栽后管理是提高造林成活率和提早结果的关键措施,因此栽植后的管理工作至关重要。其主要工作就是施肥灌水和松土保墒,主攻方向是促使根系生长和生出新根系,缩短缓苗期。而促使根系生长和生出新根的措施,一是提高土壤温度,二是保证土壤有充足的水分,三是给土壤创造一个良好的疏松通气状况,有利于根系呼吸。在生产上要

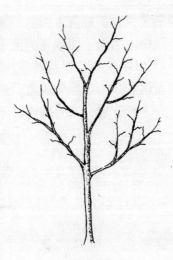

栽植的幼树

经常保持土壤湿润,只要出现旱情就要及时浇水,并做好中耕保墒。在水源不足的地方,除应搞好中耕保墒外,还要用塑料薄膜覆盖树盘,以增加地温和保湿,提高苗木成活率。此外,应注意除草、防治病虫害及防止鼠害。当苗木新梢长到 10~15 cm 时,结合浇水应进行追肥,每株施尿素 0.1~0.2 kg。对与农作物间作的枣园,栽植行要留出 1.5 m 宽的保护带,防止耕作或管理间作物时,损伤枣树枝干或根系。

在新栽植的枣园中,幼树常出现第一年不发芽、第二年才发芽抽枝的现象,发生这种"假死"现象的原因,一

是苗木质量差，根系不好，发育不良，不能正常吸收水分和养分；二是栽后管理不善，没有及时施肥浇水和中耕除草，根系发育不良；三是苗木在栽植前和栽植后根系及苗干失水。为了防止这种"假死"现象，在起苗时必须注意不伤根、不伤干，尽量带全根；在运输前必须包装好，特别是要保护好苗木根系，确保不失水；苗木运回后要立即栽植，当天不能栽完的苗木，要进行假植；在栽植时要进行 ABT 生根粉根系处理；栽后要浇透水，并用塑料薄膜覆盖树盘。出现假死现象，枣农也不必惊慌，只要第二年认真进行管理，及时施肥浇水，苗木就能正常生长。

第六章　枣园的土肥水管理

枣树生长在土壤中，并从土壤中源源不断地吸收着养分和水分供其生长发育之所需。生产实践中，人们总结出"土是根，肥是本，水是命脉"的经验，充分说明了土、肥、水在枣树生长过程中所处的地位及相互关系。所以，加强枣园的土、肥、水科学管理，保证枣树个体正常生长发育，是提高枣果品质和产量的关键环节。按照三门峡市无公害红枣生产枣园土肥水管理地方标准 DB4112/T107—2004 的规定，下面分别介绍枣园的土、肥、水管理技术。

一、枣园土壤管理

枣树根系生长在土壤中，并从土壤中吸收水分和养分以供树体生长、开花、结果，因此土壤管理是枣树生产管理的基础，只有抓好枣园土壤管理，枣树才能根深叶茂。土壤管理的内容包括深翻改土、中耕除草、枣园间作和枣园地的水土保持等。

(一)深翻改土

因枣树栽植的立地条件不同，深翻的方式也不同，一般分全园深翻、局部深翻和扩穴 3 种形式。

1. 全园深翻

全园深翻适用于立地条件较好的平地枣园或枣粮间作枣园，深翻时间在秋季枣果采收后到翌春土壤解冻前，一般以秋季深翻为好。因秋季深翻，经过冬季土壤冻垡，有利于土壤团粒结构的形成和土壤养分的分解，亦有利于枣树根系的吸收。深翻的深度一般为 20～30 cm，近树干周围要浅，以防损伤大根。

2. 局部深翻

局部深翻适用于丘陵及山地枣园，因丘陵和山地往往地块狭窄或地面不平，采取局部深翻，容易操作。主要是深翻树冠下的土壤，使土壤疏松，增加土壤通透性。另外通过深翻，可以切断表层枣根，促发新生根系下扎，增强根系对深层土壤水分和养分的利用，深翻时间从秋季采收后到翌春土壤解冻前。

3. 扩穴

扩穴主要适于土层较浅的沙滩地和石砾含量较大的山地。因这些地方往往土层较浅，不利于枣树根系生长，通过扩穴，改善枣园的立地条件。其方法是：在枣树冠外围投影处挖深 1～1.5 m、宽 0.8～1 m 的环状沟，将表层土放在树冠下，沙或石砾放在树冠外，而后将表层土填入沟底，并每株施腐熟的基肥 50～100 kg，与表土混匀，再运来客土填入沟中。根据枣树的生长情况，每隔 3～5 年进行一次，连续 3～4 次，就可彻底改善枣园的土壤结构。扩穴时间同全园深翻。

(二)中耕除草

杂草与枣树争水争肥，同时杂草丛亦是害虫滋生的场所。因此，中耕除草，不但可以节省土壤养分和水分，而且可以破除地面板结，切断土壤毛细管，减少水分蒸发，同时又能使土壤疏松通气，促进肥料分解利用。俗话说"锄

头有水，有火，有肥"就是这个道理。中耕深度以 10 cm
为宜。在缺水地区，应在降雨后及时中耕除草，一般生长
期内中耕 4～5 次。

(三)枣园间作

枣园间作是枣园土壤管理的一项重要措施，是通过
对间作物的管理，达到对土壤管理的目的，间作的方式
有枣粮间作、枣草间作、枣药间作等。枣园间作是立体
农业的重要内容，它可以充分利用土地、光能、空气等
自然资源，在有限的土地上生产更多的农产品，实现树
上树下立体生产，提高单位面积产量和产值，增加经济
效益。更重要的是，通过对间作物的施肥、灌水、中耕
除草，增强了土壤肥力，有利于枣树的生长和结果，并
延长了枣树的寿命。

1. 枣粮间作

一般实行枣粮间作的，最好是选择矮干、耐阴、耐旱、
生长期短、需肥较少、物候期交错的作物。比较适宜的间
作物有小麦、绿豆、大豆、花生、棉花、红薯等。

2. 枣草间作

实行枣草间作的，主要是间作紫花苜蓿和其他绿肥。
这些植物，根系多着生有根瘤菌，它能固定空气中的游离
氮，掩青后可增加土壤有机质，促进微生物分解活动，增
加土壤团粒结构，改善土壤理化性能，提高土壤肥力。应
提醒的是枣园间作紫花苜蓿，在鼠害严重的地方不宜采用。
因老鼠冬季在地面上无食可取，而在地下啃食枣树根系，
引起枣树枯死。若间作紫花苜蓿，必须加强消灭鼠害工作，
可借鉴苹果园灭鼠办法进行。

3. 枣药间作

实行枣药间作的，主要间作的药种有板蓝根、生地、黄芩、柴胡等。

(四)水土保持

丘陵、山地枣园水土容易流失，加上水源紧张，大部分枣园没有灌溉条件，所以必须设法提高土壤蓄水能力，做好水土保持工作。保水措施有多种，其中以梯田、鱼鳞坑、地边筑埝和拦淤坝应用较普遍。

二、枣园施肥管理

要想使枣树正常生长，并获得优质、高产，除品种因素和土壤因素外，肥料则是决定品质和产量的重要条件。只有通过施肥，使枣树源源不断地从土壤中吸取氮、磷、钾和所需的微量元素，才能保证枣树的健壮、长寿、高产。在此，应着重掌握哪些肥料允许使用、怎样使用，哪些肥料禁止使用。三门峡市红枣生产肥料使用准则DB4112/T111—2004对此作了详细规定，现加以叙述。

(一)允许使用的肥料种类

1. 农家肥料

农家肥料指就地取材、就地使用的各种有机肥料。它含有大量生物物质，是由动植物残体、排泄物、生物废物等有机物质经过沤制分解而成。施用农家肥不仅能为农作物提供全面营养，而且肥效长，可以增加土壤有机质，促进微生物繁殖，改善土壤的理化性质和生物活性，是生产无公害食品的主要养分来源。其主要种类为：

(1)堆肥。以各类秸秆、落叶、山蒿、湖草、人畜粪便为原料，与少量泥土混合堆积而成的一种有机肥料。

(2)沤肥。所用物料与堆肥基本相同，只是在淹水条件下(嫌气性)进行发酵而成。

(3)厩肥。用猪、牛、马、羊、鸡、鸭等畜禽粪尿与秸秆垫料堆制的肥料。

(4)沼气肥。在密封的沼气池中，有机物在嫌气条件下，腐烂分解产生沼气后的副产品，包括沼气液和残渣。

(5)绿肥。利用栽培或野生绿色植物体作肥料。绿肥分豆科和非豆科两大类。豆科有绿豆、蚕豆、草木樨、沙打旺、田菁、苜蓿、柽麻、野豌豆、紫穗槐、紫云英、苕子等。非豆科绿肥，最常用的有禾本科，如黑麦草；十字花科，如肥田萝卜；菊科，如肿柄菊、小葵子等。

(6)作物秸秆。直接采用作物收获后的秸秆，粉碎、掩埋，通过土壤微生物作用腐烂分解，为作物吸收。

(7)泥肥。以未经污染的河泥、塘泥、沟泥、湖泥等作为肥料。

(8)饼肥。以菜籽饼、棉花饼、豆饼、芝麻饼、花生饼、蓖麻饼等作为肥料。

2. 商品肥料

商品肥料指按国家法规规定生产，受国家肥料主管部门管理，以商品形式出售的肥料，包括商品有机肥料、腐殖酸类肥料、微生物肥料、有机复合肥、无机(矿质)肥料、叶面肥料等。

(1)商品有机肥料：是指以大量生物物质、动植物残体、排泄物、生物废物等物质为原料，加工制成的商品肥料。

(2)腐殖酸类肥料：是指以泥炭(草灰)、褐煤、风化煤等为主要原料，加入一定量的氮、磷、钾或某些微量元素所制的肥料，如腐殖酸钠、腐殖酸铵、黄腐酸等。

(3)微生物肥料：是指用特定微生物菌种培养生产的、具有活性的微生物制剂。根据微生物肥料对改善植物营养元素的不同，可分成以下五类：

第一，根瘤菌肥料。能在豆科植物体上形成根瘤，可同化空气中的氮气，改善豆科植物的氮素营养，有花生、大豆、绿豆等根瘤菌剂，适应于枣树下面间作有豆科作物或肥料的情况。

第二，固氮菌肥料。能在土壤中作物根际周围固定空气中的氮气，为作物提供氮素营养，又能分泌激素刺激作物生长。有自生固氮菌、联合固氮菌剂等。

第三，磷细菌肥料。能把土壤中难溶性磷转化为作物可以利用的有效磷，改善作物磷素营养。有磷细菌、解磷真菌、菌根菌剂等。

第四，硅酸盐细菌肥料。能对土壤中云母、长石等含钾的铝硅酸盐及磷灰石进行分解，释放出钾、磷与其他灰分元素，改善作物的营养条件。有硅酸盐细菌、其他解钾微生物制剂等。

第五，复合微生物肥料。含有两种以上有益的微生物(固氮菌、磷细菌、硅酸盐细菌或其他一些细菌)，它们之间互不拮抗，并能提高作物一种或几种营养元素的供应水平，同时含有生理活性物质的制剂。

(4)半有机肥料(有机复合肥)：由有机物质和无机物质混合或化合制成的肥料。它包括以下两类。

其一，是经无害化处理后的畜禽粪便，加入适量的锌、锰、硼、钼等微量元素制成的肥料。

其二，是发酵废液干燥复合肥料，即以发酵工业废液干燥物质为原料，配合种植蘑菇或养禽用的废弃混合物制成的肥料。

(5)无机(矿质)肥料：矿物通过物理或化学工业方式制成，养分呈无机盐形式的肥料。它包含3大类：①矿物钾肥和硫酸钾；②矿物磷肥(磷矿粉)；③煅烧磷酸盐(钙镁磷肥、脱氟磷肥)。

(6)叶面肥料：喷施于植物叶片并能被其吸收利用的肥料。叶面肥料中不得含有化学合成的生长调节剂。叶面肥料有以下两类：①微量元素肥料。以铜(Cu)、铁(Fe)、锰(Mn)、锌(Zn)、硼(B)、钼(Mo)等微量元素及有益元素为主配制的肥料，如活力素。②植物生长辅助物质肥料。用天然有机物提取液或接种有益菌类的发酵液，再配加一些腐殖酸、藻酸、氨基酸、维生素、糖等配制的配料，如酵素菌。

3. 其他肥料

(1)包括不含合成添加剂的食品、纺织工业的有机副产品。

(2)包括不含防腐剂的鱼渣、牛羊毛废料、骨粉、氨基酸残渣、骨胶废渣、家畜加工废料、糖厂料等有机物料制成的肥料。

4. 各种有机肥料的氮、磷、钾含量

各种有机肥料的氮、磷、钾含量见表6-1。

表 6-1　各种有机肥的氮、磷、钾含量　　　　　(%)

肥料种类	养分含量			说明
	氮	磷(P_2O_5)	钾(K_2O)	
大豆饼	7.00	1.32	2.13	
芝麻饼	5.60	3.00	1.30	
花生饼	6.32	1.17	1.34	
棉籽饼	3.41	1.63	0.97	
菜籽饼	4.60	2.48	1.40	
小麦秸秆	0.50	0.20	0.60	
玉米秸秆	0.60	1.40	0.90	
牛　粪	0.36～0.45	0.15～0.25	0.05～0.15	
牛　尿	0.60～1.20	无	1.30～1.40	
牛圈粪	0.34	0.16	0.40	
马　粪	0.40～0.55	0.20～0.30	0.35～0.45	
马　尿	0.13～0.15	无	1.25～1.60	1. 人粪尿为速效性肥,其余多呈现迟效性肥;
马圈粪	0.58	0.28	0.53	2. 各种有机肥呈微碱性
猪　粪	0.34	0.23	0.20	
猪　尿	0.30～0.50	0.07～0.15	0.20～0.70	
猪圈粪	0.45	0.19	0.60	
羊　粪	0.07～0.08	0.45～0.50	0.30～0.60	
羊　尿	1.30～1.40	无	2.10～2.30	
羊圈粪	0.83	0.23	0.67	
鸡　粪	1.63	1.54	0.85	
兔　粪	1.58	1.47	0.21	
人　粪	1.00	0.50	0.37	
人粪尿	0.50～0.80	0.20～0.40	0.20～0.30	
土　粪	0.12～0.58	0.12～0.68	0.12～0.58	
塘　泥	0.20	0.16	1.00	
沟　泥	0.44	0.49	0.56	

5. 常用无机肥料成分及主要理化性质

常用无机肥料的成分及其主要理化性质见表6-2。

表6-2 常用无机肥料的成分及主要理化性质

肥料	名称	养分含量(%)	化学性质	溶解性
氮肥	硫酸铵	N 20~21	弱酸性	水溶性
	碳酸氢铵	N 17	弱碱性	水溶性
	尿素	N 42~46	中性	水溶性
磷肥	过磷酸钙	P_2O_5 16~18	酸性	水溶性
		$CaSO_4$ 18		
	钙镁磷肥	P_2O_5 14~18	碱性	弱酸溶性
		CaO 25~30		
		MgO 15~18	碱性	弱酸溶性
	磷矿粉	P_2O_5 14	中性	强酸溶性
	骨粉	P_2O_5 20~35		
钾肥	硫酸钾	K_2O 48~52	中性	水溶性
	氯化钠	K_2O 50~60	中性	水溶性
复合肥料	磷酸铵	N 12~18	—	水溶性
		P_2O_5 46~52		
	钾镁肥	K_2O 33	—	水溶性
		MgO 28.7		
	磷酸二氢钾	P_2O_5 24	酸性	水溶性
		K_2O 27		
	氮磷钾复合肥	N、P_2O_5、K_2O 各14%	中性	水溶性
微肥	硼砂	B 11	弱酸性	水溶性
	硼酸	B 17	弱酸性	水溶性
	硫酸锌	Zn 35~40	弱酸性	水溶性
	硫酸亚铁	Fe 19~20	弱酸性	水溶性
	硫酸锰	Mn 24~28	弱酸性	水溶性
	钼酸铵	Mo 50~54	弱酸性	水溶性

(二)肥料使用规则

肥料使用必须使足够数量的有机物质返回土壤，以保持或增加土壤肥力及土壤生物活性。所有有机质或无机(矿质)肥料，尤其是富含氮的肥料，应以对环境和枣树(营养、味道、品质和植物抗性)不产生不良后果的方法使用。

1. 尽量选用本标准规定允许使用的肥料种类

如生产中确实必需，允许生产基地有限度地使用部分化学合成肥料，但禁止使用硝态氮肥，如硝酸铵、硝酸钠、硝酸钙、硝酸磷和硝酸钾等。

2. 化肥必须与有机肥配合使用

使用化肥时，必须与有机肥配合。大约厩肥 1 000 kg加尿素 20 kg(厩肥作基肥，尿素可作基肥和追肥用)，最后一次追肥必须在收获前 30 天进行。

3. 化肥也可与有机肥、微生物共同使用

化肥与有机肥、微生物共同使用时，其比例为厩肥 1 000 kg 加尿素 10 kg 或磷酸二铵 20 kg、微生物肥料 60 kg(厩肥作基肥，尿素、磷酸二铵和微生物肥料作基肥和追肥用)。最后一次追肥必须在收获前 30 天进行。

4. 城市生活垃圾的使用

城市生活垃圾在一定情况下使用也是安全的，但要防止金属、橡胶、砖瓦、石块的混入，还要注意垃圾中经常含有的重金属或有害毒物等。因此，城市生活垃圾要经过无害化处理，质量达到国家标准后方可使用。每年每亩枣林应限制用量，黏性土壤不得超过 3 000 kg，沙性土壤不得超过 2 000 kg。

5. 秸秆还田

作物收获后的秸秆，须粉碎后作为畜禽粪尿的垫料，经堆制成肥后用于枣园。

6. 其他使用准则

其他肥料的使用准则，同生产 AA 级绿色食品的肥料使用准则。

(三)其他规定

(1)秸秆烧灰还田方法不适应于枣林，若病虫害发生严重，可将秸秆和枣树枯枝落叶移至枣园外烧毁再还田。

(2)生产无公害红枣的农家肥料无论采用何种原料(包括人畜禽粪尿、秸秆、杂草、泥炭等)制作堆肥，必须高温发酵，以杀灭各种寄生虫卵和病原菌、杂草种子，去除有害有机酸和有害气体，使之达到无害化卫生标准。农家肥料，原则上就地生产就地使用。外来农家肥料应确认符合要求后才能施用，商品肥料及新型肥料必须通过国家有关部门的登记认证及生产许可。

(四)施肥时期和数量

施肥时期分为休眠期施肥和生长期施肥。休眠期施肥一般为基肥和适量的钙镁磷肥，多在秋季或早春，结合枣园深翻进行。但是秋施基肥优于春施基肥，其优点有二：一是秋季枣树根系活动仍较旺盛，地温也较高，施肥时伤根易愈合，并能发生新根，促进根系对养分的吸收；二是秋季施入的有机肥经秋、冬、早春的进一步分解，使有机养分不断转化为有效养分，在翌春能充分发挥作用，及时供萌芽、开花、坐果之用。生长期施肥，是根据枣树在生长发育过程中几个重要时期的施肥，以萌芽期(4 月上旬)、坐果期(6 月上旬)和果实膨大期(6 月下旬至 8 月下旬)3 个时期为主。萌芽期追肥，能促进萌芽整齐、苗壮，利于新梢生长和花芽分化，尤其是树势衰弱或基肥不足时，追肥更为重要，以速效氮肥为主。坐果期追肥，正值营养生长与生殖生长旺盛阶段，适时追肥可以促进枝叶健壮生长，提高花芽分化质量，减少落花落果，以速效氮肥为主。果实膨大期追肥，是枣树氮、磷、钾三要素吸收量最多的时期，此期追肥可以补偿萌芽、开花所消耗的养分和幼果形成所需要的养分，减少落果，加速果实膨大，促进根系生长，以钾肥、磷肥为主，氮肥为辅。

施肥数量应依树龄、树势、结果情况和土壤条件等因素综合考虑。对老、弱、病树和结果多的枣树应多施，使其尽快恢复树势；幼树、旺树和结果少的枣树应少施，以缓和树势，达到经济施肥；土壤肥沃的枣园应适当少施，这是施肥的基本原则。但在日常生产中，针对某一个枣树究竟应施多少肥料为好，其施肥量的估算法有两种。

1. 养分平衡施肥估算法

这种方法是根据枣树计划产量的需肥量与土壤供肥量之间的差，来计算施肥量。其计算公式是：施肥量=(枣树吸收肥料量－土壤的供给量)÷肥料利用率。这种施肥的计算方法虽较科学，但获取上述几个参数，一般农户难以做到，若用此法，须请有关人员协助。

2. 经验施肥法

这种方法是枣农在长期的生产实践过程中，探索总结出来的一种计算施肥量的方法，直观、简单、便于操作。

对于栽植后 1～3 年生的幼树，每年每株施用圈肥 10～20 kg，或堆肥 15～25 kg，或饼肥 1～2 kg，任何一种均可。追肥过磷酸钙 0.3～0.5 kg，尿素 0.1～0.2 kg。

对于 4~8 年生的枣树，每年每株用圈肥 20~50 kg，或堆肥 30~60 kg，或饼肥 3~6 kg，任何一种均可。追肥过磷酸钙 1~2 kg，尿素 0.2~0.5 kg。

对于 8 年生以上的枣树，逐渐进入盛果期，施肥量的标准每 100 kg 鲜枣产量，全年施入纯氮 1.6~2.0 kg，磷 0.9~1.2 kg，钾 1.3~1.6 kg。其中，基肥的氮、磷、钾的施用量占 1/4~1/3，以维持和提高土壤中有机质和微量元素的含量。

经验施肥法虽然易于掌握，简单明了，但不是绝对的，还应辩证运用。例如，某一枣园进入盛果期，且生长前期结果较多，根据每 100 kg 鲜枣所需的施肥量已经施入土壤中，但在后期因大风的影响，造成严重落果，大量减产，那么施入土壤中的养分并未被大量吸收利用，则下一年就可适当少施肥料。用辩证法的观点来指导生产，根据树龄、树势、土壤、产量等因素计算施肥量，灵活掌握运用，就可达到科学、经济的效果。

(五)施肥方法

1. 撒施法

对全园已经郁闭的枣园或枣粮间作的枣园以及以间作物为主的枣园，适用于此法。将肥料均匀地撒在树盘内，再翻耕土壤，把肥料翻入土中，深度 20~30 cm，最后平整地面。

2. 沟状施肥法

在枣树行间或株间的树冠投影外缘，挖深、宽各 40 cm，长度不限的沟，施入肥料后封土填平，注意每年轮换位置(即第一年在行间开沟，第二年在株间开沟)。

3. 放射沟状施肥法

在树冠投影内，距树干 50 cm 处，自内向外呈辐射状挖沟 4 ~ 6 条，沟宽 30 cm、深 20 ~ 40 cm，距树干处浅，外方深，长约等于树冠半径，将肥料均匀施入沟中，填平。这种方法多在丰产园内使用，不论施基肥和追肥均可应用。

4. 环状沟施肥法

沿树冠投影外围，挖深、宽各 30 cm 的环状沟，施肥后填平。这种方法常用于幼树或盛果初期树，不论施基肥和追肥均可应用。

5. 穴状施肥法

在距树冠投影外缘处，挖 8 ~ 10 个深、宽各 40 cm 的圆形穴，施肥后填平。这种穴施多用于磷肥、钾肥。

6. 叶面喷施

叶面喷施也叫根外追肥。在枣树生长期，把枣树所需的微量元素、大量元素溶解在水里，用喷雾器喷到枣树的枝叶上，也可利用病虫害防治与农药混喷。采用这种方法追肥，肥料利用率高，肥效快，简便易行，省时、省力。选择在无风的早上 9 点前、下午 6 点以后进行。叶面喷肥浓度见表 6-3。

表 6-3　叶面喷肥浓度

肥料	浓度	肥料	浓度
尿素	0.3% ~ 0.5%	硫酸镁	0.7% ~ 1%
硫酸铵	0.2% ~ 0.3%	硼砂	0.3% ~ 0.5%
磷酸铵	0.3% ~ 0.5%	过磷酸钙浸出液	1% ~ 3%
硫酸钾	0.3% ~ 0.5%	草木灰浸出液	1% ~ 5%
硫酸锌	0.2% ~ 0.4%	腐熟人尿	5% ~ 10%
硫酸亚铁	0.3% ~ 0.5%	磷酸二氢钾	0.2% ~ 0.5%

三、枣园灌水

水是枣树一切生命活动的介质，如肥料的吸收、物质的转化与运输等，均离不开水的参与。在枣树的生长发育过程中，要消耗大量的水分，越是生理活动旺盛的部分和时期，含水和需水量越高。

过去一般认为，枣树是既抗旱又耐涝的树种，无须过多考虑它的灌溉问题。事实上，缺水同样会给枣树带来危害。缺水直接影响树体的生长发育，如根系生长停滞，吸收矿物质养分能力下降，光合作用降低，枝叶生长缓慢，发生落花、落果现象，果实发育不良等。所以，进行优质高产栽培，必须重视枣树生长发育时期的灌溉。据测定，枣树生长结果最佳的土壤含水量为最大持量的 60%～70%；在壤质土枣园，当土壤含水量低于 12% 时，枣树就很少坐果；土壤含水量降到 3.1%～4.2% 时，全树的枣叶就会枯萎直至脱落。为保证枣树生长发育对水分的所需，应注意几个关键时期的灌溉。

(一)萌芽期的灌溉

枣树虽发芽晚，但生长快，需水多，此期如缺雨干旱，应灌一次透水，这对促进枣树的根系生长、发芽、抽枝、展叶和花蕾形成，极为有利，所以称为"催芽水"。

(二)花期灌溉

枣树花量大，开花时需要大量的水分，如遇干旱，常导致枣树大量的"焦花"、"落花"现象，若进行灌水，就可避免此类现象发生，有利增加坐果。所以花期浇水称为"助花水"。

(三)幼果期灌溉

此期是枣树幼果迅速生长阶段，是需水、肥的高峰期。气候干旱时，由于叶片的蒸腾作用将会使它与幼果争夺水分，造成严重枯萎，使果实生长受阻，甚至脱落，所以应及时进行灌水，减少落果，以保证幼果正常生长，故又叫做"促果水"。

这3个时期的灌水也并非绝对，要根据气候，如需浇水时，恰遇天降透雨，那么就可免去浇水，这就是所谓的"看树浇水，看天浇水"，要灵活掌握。

灌水方法可分为喷灌、畦灌、沟灌、株浇等。

喷灌：在集约化程度和管理水平较高枣园进行。

畦灌：顺枣树营养带做畦漫灌。

沟灌：在枣树行间挖灌水沟，1~2条，浇后填平。

株浇：在没有好的灌溉条件情况下，采用人工拉水逐株灌浇，每株50~80 kg。

第七章　枣树整形修剪

整形修剪是枣树生产中一项重要的栽培技术措施，目的是使枣树形成牢固的骨架，增强树势，改善树冠的通风透光条件，防止结果部位外移，使营养进行合理分配，实现立体结果，增加产量，提高品质，减少病虫害，延长结果年限。

整形就是根据枣树的生长发育规律，结合一定的栽培制度，借助修剪，造成一定的树形。

修剪是用短截和疏枝等方法，根据枣树枝条的着生状况、生长势、结果量，对整个树体的生长结果进行调节的方法。按照三门峡市无公害红枣生产、树体管理技术规范DB4112/T108—2004分别作以阐述。

一、枣树生长发育的特点与整形修剪的关系

枣树整形修剪的方法与一般果树有较大区别，这与枣树的生长、结果习性有关。其特点如下所述。

(一)修剪量小

枣树结果母枝(枣股)基本不延长，结果枝(枣吊)每年脱落，故修剪量比较小。枣的结果枝每年春季长出，秋季连同叶片一起脱落，则不存在修剪的问题。结果母枝每年生长量很小，一般延长生长仅 1~2 mm，十多年生的老龄结果母枝全长仅 2~3 cm。结果母枝连续结果能力很强，可

达十几年，甚至几十年之久，可见结果母枝也不必修剪。结果枝组同一年令枝段上的数十个结果母枝，几乎都在同一年内形成，除年龄相同以外，长势和结果能力的发展、衰退也基本一致，在结果母枝衰老以前，也无须修剪。因此，枣树修剪量比其他果树小。

(二)花芽容易形成，分布比较均匀

枣树发育枝上生长出来的二次枝为结果枝组，又称"结果单位枝"。其各个节上的主要芽都可能萌发成结果母枝，因此结果母枝分布比较均匀。每条结果母枝，每年都能抽生出结果枝，每年结果枝都有分化花芽的能力，所以在正常情况下，有枝即有花。因而，在修剪时不需要考虑花芽的培养和花芽数量的布局，只考虑枝条的布局即可，修剪方法比较容易掌握。

(三)不定芽容易萌发

处于顶端优势地位的芽，容易萌发出新的发育枝，常引起树体骨干枝生长混乱。例如，形成并立的中央领导干，容易形成新的领头枝等。枣树是喜光树种，内膛徒长枝不但容易使树形混乱，而且影响通风透光，影响光合作用和枣树的产量。

上述说明，虽然枣树修剪工作量比较小，但必须进行人工修剪。从灵宝枣区管理情况看，过去人们不注重修剪，一般只进行定干，当树干达到一定的高度，只剪除枯枝，不进行整形修剪，任凭枝条自然生长或衰亡，这种做法不仅会影响枣树的丰产和稳产，而且还会使枣树提前衰老。近年来，有关单位和枣农通过对枣树整形修剪，尝到了甜头，摸索出了一套科学的整形修剪方法。

二、枣树整形修剪的原则与方法

(一)整形的原则

枣树整形就是通过修剪的手段合理调节树体的枝量，控制枝条的生长部位，培育牢固的骨架和良好的树体结构，使各部位的枝条各自占有一定的空间，有良好的光照条件，能充分地进行光合作用。同时，能调节生长与结果的矛盾，达到早结果、丰产、稳产和优质，并使盛果期延长。

不同的栽培方式，不同立地条件其树形培养有很大差别。在栽培方式上，枣粮间作的枣树定干要高，以便于树冠下以及行间的操作管理，多采用主干疏层形或多主枝自然圆头形；纯枣园定干低，培养小树冠树形，可达到早丰产，宜采用自由纺锤形；四旁绿化的枣树，一般土质好，空间大，可培养主干疏层形大树冠，主侧枝可多一些；山地枣园土壤瘠薄，可培养自然开心形的主枝少的小树冠树。

(二)修剪的原则

控制枝条分布，使枝条主次分明，错落有致，改善通风透光条件，提高光能利用率。通过修剪，使营养枝和结果枝互相转化，达到幼树加速生长并提早结果，盛果期延长，老枝更新，延长结果寿命。

(三)枣树整形修剪时间和常用的方法

枣树的整形修剪根据季节和作用不同，可分为冬季(休眠期)修剪和夏季(生长季节)修剪。

1. 冬季修剪常用的方法

(1)短截。指对当年枣头和二次枝的修剪，只保留2~3个二次枝的称中短截，适应于发展空间不大的枣头，以利于培养结果枝组。对只保留基部潜伏芽(长 5～6 cm)的修剪称重短截，适应于枣头生长势弱，有发展空间的枣头和二次枝，以利于促发旺枝。

(2)打尖。指对当年生枣头剪去顶部 1～2 个二次枝的剪法，多对没有发展空间、生长势又旺的枣头施行。剪去顶芽能促进后部二次枝结果。

(3)回缩。指对多年生主枝或大结果枝组的短截，多对先端结果差的枝条施行，以加强后部结果能力，促使枝条复壮。

(4)拉枝。对角度过小、方位不适当的枣树枝条，可利用绳子将枝条拉至合适部位固定。

(5)疏枝。指对交杈枝、竞争枝、病虫枝、伤枝以及没有发展空间的各种枝从基部剪掉的一种方法。

(6)分枝处换头。指对着生方位、角度不理想的主枝或大枝组在合适的分枝处截除，由分枝做延长头，以调整枝量空间分布的剪法。

(7)落头。指对中央领导干在适当高度截去顶端若干长度，以控制株高、打开光路的剪法。其作用是控制极性生长，加强主、侧枝生长。

2. 夏季修剪的常用方法

(1)枣头摘心。6～7 月份在新生枣头(非延长枝)尚未木质化时，保留 3～4 个二次枝，将顶梢剪去的一种方法。枣头摘心能促进枣头当年结果。

(2)抹芽。在春季将没有发展空间(部位)的新生芽抹去，以防止无谓消耗养分和扰乱树形。

(3)疏枝。对春季漏抹芽而没有发展空间或无利用价值的新生枝，及时发现并及时疏除。

(4)曲枝。对新发展枝着生方位、角度不够理想者，趁绿枝柔嫩时向所需方位、角度、空间弯曲引导。

(5)除萌蘖。枣树周围多有丛状或单株萌蘖，消耗大量母树营养，不利结果和管理，应及时剪除。

(6)刻芽。枣树侧生主芽抽生发育枝率较低，而且有时抽枝部位也不理想，为填补一些缺枝空当，可通过刻芽这一措施来刺激休眠芽抽生发育枝，进而形成新的枝系或结果枝组。刻芽在春季树液流动后至萌芽期进行。进行时，先在缺枝部位选择较饱满的芽，剪除其近旁的二次枝，再在芽的上方 1 cm 处横切一刀，深达木质部，长度超过芽体两侧各 0.5 cm 左右、宽 0.3 cm。注意，刻芽的枝条直径应在 2.5 cm 以上。

(7)扭枝。对骨干枝背上直立的强壮新枝，从基部 3～5 cm 处扭转 180°左右，控制其生长，转变为结果枝组。枝条半木质化(5～6 月份)是扭枝的最佳时期。

三、枣树幼树整形

自然生长的枣树，树形混乱，通风透光差，也不利于枣粮间作。常采用的树形主要有自由纺锤形、主干疏层形和自然开心形等。

(一)自由纺锤形整枝修剪

1. 自由纺锤形树形特点

自由纺锤形树形，干高 1.0 m 左右，树高在 5 m 以下，冠径为

自由纺锤形

1.主干；2.主枝；3.枣头；
4.二次枝结果枝组

4 m 左右，树体结构是在一个直立中心树干上，有 7~9 个主枝水平延伸，并均匀分布在中心干上。主枝不分层，无侧枝，主枝上直接着生中、小型结果枝组。相邻两个主枝之间的距离为 40 cm 左右，主枝基角为 70°~80°。主枝在中心干上的分配，要求上下及左右的距离和角度均匀，主枝基部的直径最大不得超过主干直径的 50%。

自由纺锤树形的基本特点是，中心干强壮，单轴延长，为树冠内的"擎天柱"。多个主枝环绕中心干生长发育，上下枝短而中间枝长，呈纺锤形(或圆锤形)。主枝无侧枝，不分层，呈水平延伸开张。结果枝组小，兼固四周，防止乱碰头。

自由纺锤形树形，树冠较小，通风透光好，整形容易，成形快，结果早，立体结果性强，便于管理和采收，是密植枣园栽培的理想树形。

2. 整形修剪技术

整形修剪的原则是以夏剪为主，冬剪为辅。通过撑、拉、坠等措施，开张主枝角度，轻截少疏，使幼龄期间的树体拥有尽可能多的枝叶量，以扩大树冠，形成树形。对角度不开张、生长过旺的发育枝，要采用摘心、拉枝方法，适当控制过旺生长，使它尽快转化为结果枝组。整形因树制宜，通过重剪发育枝，夏季摘心、刻芽等修剪方法，选留和培养好各级骨干枝，安排好结果枝组，充分占据树体空间。

(1)栽后第一年定干。根据枣树苗的强弱和大小，有的是栽植当年不定干，栽种后加强田间管理，培养壮苗，待来年再进行定干；有的是苗木健壮且较大，当年栽种，当年定干，使整个修剪过程缩短一年。一般是当苗木高达 1.3 m

左右时进行定干，在 90 ~ 100 cm 处剪除幼树顶梢，并疏除剪口下第一个二次枝，利用主轴上的主芽抽生枣头，培养中心干。以下的二次枝，选 1 ~ 2 个不同方向，间距 40 cm 左右留 1 个枣股短截(若方向不合适，也可留 2 个枣股)作为主枝，其余二次枝全部保留，不要短截，进行缓放，以增加幼树枝叶量。

(2)栽后第二年。第二年夏季，当中心干枣头长至 70 ~ 100 cm，主枝枣头长至 70 cm 时，进行枣头摘心，以促进枣头二次枝生长发育，培养主枝和结果枝组。冬季或次年春季中心干顶梢剪除，并疏去剪口下第一个二次枝，在中心干上继续选留主枝，间距 40 cm 左右，其余二次枝全部保留。如果在相距位置没有合适二次枝，可在主枝上找一主芽，在主芽上方 1 cm 处进行刻伤，深达木质部，促进该芽萌发，培育成主枝。利用以上方法，通过 4 ~ 5 年整形修剪，在主干上相间排列主枝 7 ~ 9 个，每个主枝着生结果枝组 3 ~ 5 个，幼树基本成形。

自由纺锤形树形的应用，在灵宝市目前还处在一个推广阶段，无大面积成形的枣园。

(二)主干疏层形整枝修剪

1. 主干疏层形树形特点

主干疏层形树形，干高 1.3 m 左右，树高 8 m 左右，冠径 6 m 左右。主枝 7 ~ 9 个，分 3 ~ 4 层相间排列，着生于中心领导干上。第一层主枝 3 ~ 4 个，主枝基角 70° ~ 80°，层内间距 50 ~

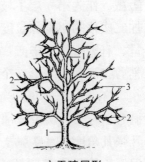

主干疏层形

1.主干；2.主枝；3.侧枝

60 cm, 每个主枝培养 2～3 个侧枝; 第二层主枝 2～3 个, 主枝基角 60°～70°, 层内间距 30～40 cm, 每个主枝培养 2 个侧枝, 第一层和第二层之间距 80～100 cm; 第三层主枝 1～2 个, 主枝基角 50°～60°, 层内间距 70 cm, 每个主枝培养 1 个侧枝; 第四层主枝 1 个, 不培养侧枝, 层内间距 60 cm。

主干疏层形树形的基本特点是: 全树分 3～4 层主枝, 主枝相间排列在中心干上, 侧枝相间排列在主枝上, 结果枝组分布在侧枝上, 树体高大, 结构牢固, 层次分明, 排列有序, 树形较为丰产。

2. 整形修剪技术

(1)栽后第一年。栽后留 1.5 m 处定干, 剪口下第一个主芽抽生出健壮枝条作为中心干。

(2)栽后第二年。夏季, 当中心干长到 70～80 cm 时摘心, 以下二次枝也全部摘心。冬季或次年春季, 可从二次枝中选出 3～4 个不同方向排列的健壮枣头留 1～2 个枣股短截, 作为第一层主枝, 其余二次枝全部缓放, 这样可增加二次枝的粗度和长度, 从而增加枣股数量和提高枣股质量, 有利于早期丰产。层内距保持 50～60 cm。中心干顶梢剪去, 剪口下第一个二次枝疏除。

(3)栽后第三年。当第一层主枝形成后, 夏季, 二次枝摘心; 若第一层主枝基角小于 70°, 可采取撑、拉等形式, 开张其角度。因夏季枝条较软, 有利于撑、拉操作。冬季, 根据长势和长度, 在主枝中下部选位置适当、方向好的 2～3 个二次枝, 各留 1～2 个枣股短截, 培养侧枝。中心干顶芽剪除, 并疏去剪口下第一个二次枝, 以下选 2 个二次枝各留 1 个枣股短截作为第二层主枝，层间距 80～100 cm 左右，其余二次枝全部缓放，以利结果。

(4)栽后第四年。夏季，除中心干枣头不摘心外，其余新生枣头全部摘心。对于主侧枝背上直立枝条进行扭梢，培养小型结果枝组。冬季或翌年春季，在第二层主枝的中心下部，选不同方向 1～2 个二次枝留 1～2 个枣股短截，培养侧枝。中心干剪除顶梢，剪口下的第一个二次枝疏除，以下选 1 个二次枝留 1 个枣股短截，作为第三层主枝。

(5)栽后第五至第七年。第三层、第四层的主侧枝培养方法同第一、二层。通过 6～7 年的整形，主干疏层形的树形基本培养成形。

这种树形的修剪，一定要注意各层的主枝角度不能太小，以缓和营养生长。因灵宝大枣与其他品种枣树相比，极性生长强，树势直立，必须加大主枝角度，限制其极性生长。大忌多头短截，背上直立枣头要及时摘心，培养成小型结果枝组，使其尽快结果。

主干疏层形树形在灵宝应用的面积约有近千亩，主要分布在故县镇黄河滩南岸的黄河农场和大王镇后地村。

(三)自然开心形整形修剪

1. 自然开心形树形特点

自然开心形每株树留 3～4 个主枝，每个主枝上留 2～3 个侧枝，向四周自然延伸。这种树形的特点是：无中心领导干，通风透光良好，树冠内膛秃裸现象轻，

开心形
1.主干；2.主枝；3.侧枝

结果多，着色好，树形培养较快，便于管理和采收。其缺点是，因无中心领导干，主枝上单位枝较多，负荷较重，容易下垂和风折，下垂枝自然更新早，寿命较短。

2. 整形修剪技术

当干高 1~1.5 m 时，选留着生相邻或相近 3~4 个发育健壮、向不同方向伸展的枣头作为主枝，角度开张 70°~80°，每年冬季剪去主枝顶梢，剪口下第一个二次枝疏除，以利新生枣头延伸生长，其余二次枝全部保留。在主枝外侧每隔 60 cm 左右选留发育旺盛的二次枝，留 2~3 个枣股短截，使其形成侧枝。每个主枝外侧着生 2~4 个侧枝，结果枝组均匀地分布在主侧枝的上下和四周。依照此法连续 5~6 年培养，则形成自然开心形树冠。

幼树的整形修剪，除延长枝短截外，其余的二次枝以缓放为主，位置不当的或内向的二次枝可疏除；夏季修剪以摘心为主。因枣树结果主要靠枣股，而 3 年生以上枣股结果能力最强，所以只有通过二次枝缓放，增加结果枝组数量和结果部位，达到早期丰产才有保障。

自然开心形在灵宝枣区应用较为普遍，是传统的枣树树形。其培养过程同自由纺锤形和主干疏层形相比，较为简单，是群众常采用的一种树形，但其缺点也正是主干疏层形的优点。在新发展枣园的整形修剪过程中，应积极应用自由纺锤形和主干疏层形树形，以达到枝组分布得当、空间占用合理、人工操作方便、枣果产量较高、树体寿命较长的效果。

四、盛果期枣树的修剪

枣树通过 6~7 年的整形修剪，树冠基本成形，长势逐渐减弱,开始进入盛果期。枣树盛果期很长,一般可达60~80年。枣树通过合理修剪和管理,延长盛果期年限,保持树冠通风透光,使枝条均匀分布,并有计划地进行结果枝组的更新复壮,使每个结果枝组能维持较长的结果年限,做到树老枝不老,长期保持较高的结果能力,发挥最大的经济效益,则是盛果期树形修剪的目的。

清除徒长枝

(一)清除徒长枝

进入盛果期,树冠扩展逐渐减慢或停滞,树冠主侧枝渐趋水平或下垂,在树冠中部主侧枝的弓背部分,常萌生出徒长性的发育枝,会促使前端枝条衰老死亡,同时严重影响通风透光,引起树冠内部郁闭,内部枝条因光照不足而死亡。因此,对这些徒长枝要及早清除。

(二)处理竞争枝

盛果初期的幼树生长势还较为旺盛,延长枝顶部往往萌生两个发育枝,二者夹角很小,几乎平行延伸。冬季修剪时选位置适宜的发育枝作为延长枝,将另一个发育枝从基部剪除。这种情况如在成龄结果树上,可根据空间

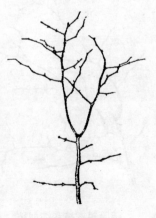

处理竞争枝

大小，采取疏去或短截，使竞争枝占领局部空间而不和主
侧枝发生竞争。

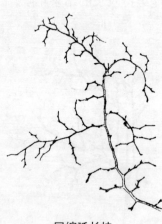

回缩延长枝

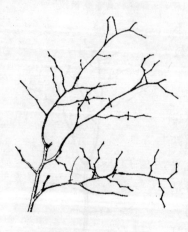

疏除过密枝和细弱枝

(三)回缩延长枝

枣树进入更新结果期，其侧枝特别是树冠下部的侧枝出现下垂延长枝，影响间作物生长和田间管理。这时在水平枝上部往往有徒长性发育枝，这类发育枝不必全部剪除，可进行短截，培养成结果枝组，使其占领一定的空间。对下垂枝进行回缩短截，选择向上的角度，在剪口留1~2个朝上生长的芽短截，促进枝头向上生长，并在生长期进行摘心，以控制延长枝的生长。

(四)疏除过密枝和细弱枝

进入盛果期后，结果枝组趋向平展和下垂，主侧枝背上的结果枝组很容易和下面枝组重叠而造成过密，影响通风透光。可以疏除这些枝组中向下生长、结果能力低的枝条，以改善光照条件。另外，树冠外围常萌生许多细弱发育枝，甚至不分生二次枝，或只有

1～2条短小细瘦的二次枝。冬剪时对这类细弱枝应疏除，减轻外围枝对光照的遮挡，以利全树结果，并使树体养分相对集中，促进更新生长。

(五)处理机械损伤枝和病虫枝

由于风或其他原因引起延长枝外伤，而刺激下部隐芽萌发出新的延长枝。遇到这种情况，如果需要枝条更新，可把损伤枝锯掉，留下新的延长枝；如果无空间生长，可把受损部分连同新的延长枝一起剪去。对于病虫枝除剪去外，还应在主枝基部环割，环带宽 0.5 cm，深达木质部，以防止枣疯病等病原菌的传播。对受蚧壳虫和蝉危害的枝条要剪去，烧掉。

剪除机械损伤枝和病虫枝

(六)更新复壮结果枝组

枣树结果枝组寿命虽长，但也要经过幼龄、壮龄和衰老死亡阶段。实践证明，3～7年生长的壮龄枝组结果力最强。为了增加壮龄枝组比例，应采取以下措施：①严格控制枝组长度。当结果枝组已达到所需长度之后，对先端和二次枝中上部枣股所萌发的新枣头，要及早从基部疏除。②结果枝组开始衰老，结果能力下降时，应短截二次枝，增加枣吊数量，提高坐果率。如枝组中下部或二次枝下部枣股抽生出健壮枣头时，可用于更新枝组。③在衰老枝组附近发出的健壮枣头，可用于更新枝组。④如果树势过弱，很少发生枣头时，首先应加强肥水，然后可于春季将骨干

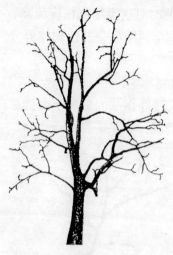

枣树衰老期

枝和衰老枝组进行适当回缩。

五、老枣树更新复壮

枣树寿命虽长，但老龄树枝条长势衰弱，结果能力差，产量低，应及时对其更新，以保持单位面积产量。根据树体生长情况，更新修剪方法有以下几种。

(一)自然更新与人工更新相结合

枣树的主枝随着树龄增长不断伸长和下垂，在弯弓部位容易长出徒长枝代替老枝头，这是自然更新。衰老树自然更新能力减弱，但在光秃区也常长出一些发育枝。采取人工更新和自然更新相结合的方法，可加速老枝更新。其方法是，将自然更新前端的枝梢锯掉(可在一年内将老枝都锯掉，也可分几年来完成)。由于前端锯掉，后面发育枝受到刺激而加速生长，使新枝代替老枝。

(二)全冠更新

对于主干健壮，但已无自然更新能力、树冠主枝残缺、单位结果枝稀少、产量低的老树，宜在休眠期进行全树冠更新。一次性对主枝重截。衰老株的主枝重截后，当年春天不定芽即可萌发，选适当位置的新芽培养成主枝的延长枝。为促进新树冠的形成，应加强肥水管理，这样一般2～3年即可形成骨干枝，4～5年即大量结果，株产大大超过更新前的老树。

(三)萌芽更新

当植株老化，不仅树冠残缺，而且主干心材腐烂时，可在根际处刻伤，促使产生根蘗苗，或在近地面处对主干进行刻伤或断根，刺激萌发新枝，从中选留萌蘖壮芽 1～2 个，培养成新的主干。当新生主干及骨干枝基本形成后，将老枯母树沿地面或新干基部上方锯掉，这样新培养的植株，能很快生长和结果。

(四)植株更新

这种方法多在母株衰老、干冠损伤严重时采用，或在母株感染枣疯病，需要挖掉而另栽树时进行更新。由于枣树愈伤能力较强，心材腐烂后，边材坚硬，尚能保证无机盐、水分及有机物的正常输送，树冠虽已衰退，但仍有一定产量。此时不宜急于更新，可在老树的一侧另栽一株，当新株骨干枝已经形成，衰老枝影响新株树冠扩大时，再把衰老株挖掉。

六、放任枣树的改造

放任枣树就是没经过人工整形修剪，任枣树自然生长的树。这种树往往呈乱头形，冠内枝条紊乱，大枝往往偏多，通风透光不良，结果部位外移，结果少，产量低，也有枝条过少的现象。应根据具体情况，采取相应措施，加以改造。

(一)枝条过多的放任树

首先要疏除过密、衰弱、无发展前途的部分骨干枝，暂时保留下来的大枝，如能拉动，可拉成水平或下垂，中心干或主枝延伸过高、过长，而中、下部光秃者应回缩至下面分枝或有生命的枣股隐芽处。枣头过多时，应根据空间大小，选留一部分培养成结果枝组；疏除轮生、交叉、并生、干枯、细弱、病虫枝。

(二)枝条过少的放任树

根据大枝先端下垂部分的衰老程度，截去 1/3 ~ 1/2。如果背上枝已相当粗大，可将下垂部分一次剪除。但为了防止伤口过大，可在保留大枝前，暂时再留一个枝组，以后处理。作为骨干枝的新延长枝，可用轻度回缩或夏剪摘心的方法进行培养。

枝组如细长、瘦弱，应回缩复壮；无利用价值的干枯枝、细弱枝、无效枝、病虫枝应全部疏除。

第八章 提高坐果的措施

枣树是多花树种，但由于多种原因，其坐果率都较低，不论是鲜食品种、制干品种，还是干鲜兼用品种，其坐果率大都在 1%左右。即使是高产、丰产枣园，或是较好栽培管理条件下的枣园，坐果率也仅有 1.5%左右。可枣树花多，花朵基数大，只要能提高 0.1%的坐果率，增产效果就非常明显。因此，要想提高枣园单位面积产量，就应在提高枣树坐果率方面下工夫。根据长期的调查研究，我们认为枣树花期坐果需要以下 3 个主要条件：

第一，枣园必须具备良好的生态条件。特别是适宜的田间小气候，如适宜的温度、空气湿度和充足的光照，以及枣园土壤理化性状，这是枣树坐果的首要条件。

第二，枣树本身的营养状况。这是枣树开花坐果的基础，树体本身贮藏的养分比较充足，在其他条件配合下，就会坐果多、产量高。

第三，花朵授粉受精时，树体内源激素的含量水平。枣树的授粉受精是在树体自身内源激素的控制下进行的，树体内源激素的含量水平低时，坐果不良。

根据三门峡市无公害红枣生产地方标准 DB4112/T108—2004 树体管理技术规范的要求，提高灵宝大枣坐果率可采取以下几种技术措施。

一、增加树体自身营养

树体自身营养是枣树开花结果的基础，而树体自身营养的获得，来源于土壤中的养分供给和光合作用。由此可见，施肥的作用就显得十分重要。在第六章中，我们已讲到枣树的土肥水管理，不再重述，在此着重强调采收后的秋施基肥。

按照传统的经营观念，基肥多在冬春季施。经试验，秋施基肥优于冬春季施肥。其理由为：枣果采收后，树体就进入了休养生息阶段，而此时枣叶还未脱落，还进行着光合作用。在枣叶未脱落前施基肥，一是能促进基肥的腐熟分解供树体吸收；二是树上没有枣果，光合作用的碳水化合物贮藏在树体内，休眠期运输到根系进行贮藏，使树体得到了充分的营养恢复，第二年春季花芽分化时，由于生长点有源源不断的养分供给，养分充足，花和枣果不会因营养不足造成大量的落花落果，所以就达到了保花保果的目的。具体的施肥方法和施肥量参照第六章。

二、调控树体自身营养的运输和分配

生产实践表明，在树体营养不足的情况下，通过整形修剪，在一个较短的时期内，调控树体自身营养的运输与分配，将树体的养分暂时集中在开花坐果的部位，在一定程度上满足了它开花坐果的需要，也能达到促进坐果的目的。调控树体自身营养的运输及分配的措施，主要是指整形修剪，以及在此基础上所进行的花前或花期的枣头摘心，幼果期疏果，树干环剥、砑树等。

(一)枣头摘心

枣头摘心，有的枣区叫"打枣尖"。从春季发芽到开花前后，对当年萌生的枣头和枣头上的二次枝进行不同程度的摘心，可有效地控制营养生长，调节树体营养分配，是促进结果、防止落果的非常有效的措施。在花前或初花期，对不作骨干延长枝的枣头、较大结果枝组的枣头，根据所在部位空间的大小，留2~4个基枝摘心，也可对二次枝或枣吊摘心。在一定范围内，摘心程度越重坐果率越高。

实践证明，枣头摘心在生产中只做一次远远不够，往往需要进行几次摘心。第一次摘心在枣树发芽后进行。对各级骨干枝、结果枝组上出现的新枣芽，如果不做延长枝或结果枝组培养，就应从基部抹掉。第二次和第三次摘心，在开花前后进行。对留作培养结果枝组和用以结果的枣头，根据树势的强弱及其所在空间的大小，适当摘心。空间大，枝条生长发育旺盛，需要培养较大枝组的，当发育出5个左右的二次枝时摘心。只要所发育的二次枝达到要求的数量，摘心越早越好。在结果枝组(二次枝)已经发育出3~5个节时，也可摘边心。再过5~7天，对尚未摘心的少数结果枝组全部摘心。由于新生枣头有早有晚，开花前后一般都需摘心2~3次。

在幼果期，分期分批摘除枣头及顶端的2~3片嫩叶，可抑制枣头生长，促使养分暂时供应生殖生长，对防止或减轻生理落果效果明显。

另外，当幼果长到豆粒大小时，可及时疏果；每个枣节留果数量，可根据土壤肥力的高低和树势的强弱，灵活掌握。这对防止落果、提高坐果率作用明显。

(二)开甲(环剥)

树木组织传输水分和养分的途径有两条：一是导管，位于茎的木质部，主要向上运送根部吸收的水分和无机盐，把这些原料送达到叶部细胞的叶绿体内，通过光合作用将光能转化为化学能，制造成各种有机物质；二是筛管，位于树皮中的韧皮部，它将叶绿体内制造的有机物送到茎、叶、花、果实和根部，供生命活动和生长发育的需要。

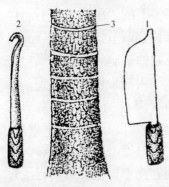

开甲方法

1.开甲刀；2.开甲钩子；
3.开甲部位

枣树的树干开甲和苹果树的树干环剥手法一样，不过是叫法不同而已。其作用机理是：枣树叶片光合作用制造的有机营养，是通过树干韧皮部筛管向下输送到根部的，开甲后暂时切断了这一通道，截留了营养，使有机养分在一定的时间内集中在地上部，这就提高了枝叶花果的营养水平，集中和满足了大量花和幼果发育的需要，从而改善了花果的营养条件，起到了保花保果的作用。

1. 开甲时期

开甲时间的确定，影响着开甲的效果和果实品质。开甲时间过早，花朵开放少，促进坐果的效果不理想；开甲时间过晚，会造成果实个头变小、成熟不充分、品质下降等一系列问题。最适宜的开甲时期是盛花初期，也就是每个花序的第一朵花即将开放的时期。

2. 开甲方法

在直径超过 10 cm 的主干上，距地面 25～30 cm 处，自下而上进行环剥，每年剥一环，逐年向上。每环间隔 5 cm，直到主枝基部。环剥时，先在环剥部位用镰刀刮掉老皮，露出粉白或粉红色的韧皮组织，再用锋利环剥刀，按照 0.5 cm 的宽度，上下仔细切割两周，深达木质部，取下切断的韧皮组织，用牛皮纸或胶纸裹封甲口带，以免外界杂物侵入甲口内。切割时，要求切口平整光滑，伤口两端的韧皮组织仍紧贴木质部上，不翘起露缝，以免影响愈合。切口上缘要平直，下缘向外坡斜，以防积聚雨水，不利于愈合。

3. 开甲后管理

开甲后 3～5 天，为防止害虫入侵甲口，用毛刷或板笔等对甲口涂药保护。药剂可用 40%的乙酰甲胺磷乳油、50%的辛硫磷乳油，稀释成 50～100 倍的溶液涂抹，药量以涂湿甲口为度。以后每隔 5～7 天涂药一次，一般需 2～3 次。当伤口愈合后去掉包扎物。

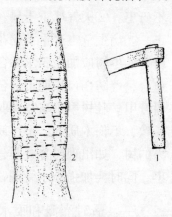

研枣

1.研枣工具；　2.研枣砍伤情况

(三)研枣

研枣就是在花前用斧头或专用工具砍伤或切断韧皮部筛管，暂时阻止叶片制造的有机营养物质向根系运输，以提高枝、叶、花、果的营养水平，达到提高坐果率的目的。

1. 矸枣时期、次数

在枣树盛花期到末花期(6 月初至 7 月初)，每隔 3～5 天用斧头或矸枣斧矸枣 1 次，整个花期矸枣 3～4 次。一般坐果多、气温高、降雨少、树势中等的可矸 2 次；花期多雨、土壤水分多、坐果少、树势旺者，可矸 4 次。

2. 矸枣方法

左手扶树干，右手持斧，按逆时针方向，从树干距地面 30 cm 处开始，自下而上，斧头垂直矸于树干，深度以达韧皮部、不损木质部为宜。斧口排列一般横距 2 cm，行距 2.5 cm，每次矸 3 行，使其相互交错，像纳鞋底一样，不能对口。

3. 开甲和矸枣应注意的问题

开甲和矸枣虽能提高坐果率，但往往会削弱树势，所以应注意：①主干直径不够 10 cm 的幼树、老弱树不开甲、不矸枣。②天气严重干旱、大风或连阴雨天不开甲、不矸枣。③病虫危害严重及无花树不开甲、不矸枣。④开甲和矸枣的枣树应加强肥水综合管理。⑤注意保护伤口，促进愈合，严防伤口长期不愈合而影响树势。⑥因树制宜，看树开甲。壮树甲口略宽，弱树要窄。甲口要切齐，宽窄要一致，不伤木质部，不留韧皮部残组织。⑦连年开甲或矸枣的树，如出现树势减弱、叶色变黄时，应停止开甲和矸枣，同时要加强肥水管理，等树势恢复后再进行。

三、适时灌溉和喷水，改善枣园小气候

适宜的气候条件是灵宝大枣坐果的首要条件之一。根据灵宝大枣的生态学特性，开花坐果要求温度在 20～30℃之

间，最适宜温度在 25℃左右，空气相对湿度 50% ~ 85%，最适宜湿度 70%左右。在北方枣区，枣树花期往往会发生干旱无雨，空气相对湿度低。在这种情况下，枣树往往会出现卷叶、焦花、焦蕾和花粉不易萌发等现象，严重影响枣树的开花坐果。即使花期开甲或矬枣，但若遇干旱，也不能保证枣树稳定坐果。因此，当土壤含水量低于田间最大持水量的 50%时，应及时浇一次透水。如遇气候干燥，选择晴天无风的上午或傍晚(上午 9 点前，下午 6 点后)进行树冠喷水，每天 1 次，连喷 2 ~ 3 次，可提高坐果率 14% ~ 32%。

四、喷施植物生长调节剂

枣树的开花授粉、受精坐果，是在树体自身内源激素的控制下进行的。树体内源激素的含量高低，是影响坐果多少的一个重要因素。研究和生产实践表明，在树体内源激素含量较低的情况下，可通过补充一些人工合成植物生长调节剂，来满足坐果的需要。

(一)赤霉素

这种植物生长调节剂，有促进枣树花粉萌发和刺激子房膨大作用，并能够刺激未受粉的枣花结实。从使用的情况看，在 6 月上旬、中旬，各喷 1 次 10 mg/kg 赤霉素，可提高坐果 30% ~ 40%；7 月中旬喷 1 次 10 mg/kg赤霉素，可提高单果重；7 月下旬喷 1 次 20 mg/kg 赤霉素防止落果，可提高产量 10% ~ 20%。喷洒时间在上午或傍晚进行。每株用药量视树冠大小而定，一般喷至叶面接近滴水为限。

(二)枣丰灵 1 号

枣丰灵 1 号集促进坐果、加快幼果细胞分裂、防止幼果脱落的作用于一身，克服了使用某些单一调节剂坐果不理想的缺点。枣丰灵不溶于水，在盛花期，先用少量酒精或高度白酒将 1 g 枣丰灵 1 号溶解，再兑水 25 kg(稀释为40 mg/kg)作全树喷洒。6 月中旬、下旬各喷 1 次，间隔时间 5~7 天。

需要说明的是，按照三门峡市无公害红枣生产地方标准 DB4112/T110—2004 的有关规定，有些植物生长调节剂是禁止使用对象，所以枣农在生产应用上要慎重。

现根据三门峡市无公害红枣地方标准 DB4112/T109—2004，除以上介绍之外，允许使用的植物生长调节剂及使用方法见表 8-1。

表 8-1　允许使用植物生长调节剂及使用方法

调节剂种类	施用时间	施用浓度	主要生理作用	其他
GA1	盛花时期	5~10 mg/kg	提高坐果	配合混用0.5%尿素
稀土(益植素)	蕾花、盛花期、幼果期	500 mg/kg	提高坐果，增加叶绿素含量	
防落素	幼果期	15 mg/kg	防止落果	增加营养
翠竹牌生长剂	盛花期	15~20 mg/kg	提高坐果	增加营养
a 萘乙酸	盛花期	10~20 mg/kg	提高坐果	增加营养

表 8-1 中列出的调节剂种类是经三门峡市地方标准规定可以使用的，但其施用时间和浓度要严格按规定的要求进行。

五、花期喷施微量元素

花期喷施微量元素主要是指喷施硼酸或硼砂溶液。硼，能促进枣花粉萌发和花粉管的生长，促进钙的吸收。硼和氮素的代谢、细胞分裂、光合作用、水分代谢等都有密切关系。缺硼会导致叶绿素减退，光合作用下降。硼与其他元素有一定的平衡关系，能促进枣树无机盐类和有机养分的代谢过程。试验证明，在花期给枣树喷 0.2%硼酸或 0.3%硼砂溶液，枣树的坐果率可提高 20%～40%，土壤缺硼的枣园效果更明显。喷施硼酸或硼砂溶液时，可与 0.3%～0.5%的尿素、0.2%～0.3%磷酸二氢钾溶液混喷。喷洒时间在当天的上午或傍晚进行。

六、枣园花期放蜂

枣花是虫媒花，有丰富的花蜜。花期在枣园放蜂，有助于授粉受精，提高坐果率。枣树是很好的蜜源植物，枣树花量大，花期长，蜜液丰富，蜜质优良，枣园放蜂，既能帮助授粉、提高坐果率，又能采集花粉和酿蜜，增加经济收入。枣园放蜂，一般蜂箱应放在枣园或枣行中间，间距不易超过 1 000 m。据调查，距蜂群 300 m 以内的枣树较 1 000 m 以外的枣树花后坐果率高 1 倍以上，生理落果也减少。经过蜜蜂授粉的枣树，可使枣园增产 30%左右，而且坐果早，枣果长得大。

第九章 枣树病虫害综合防治技术

枣树的病虫危害种类很多，根、茎、叶、花、果等重要器官均有病虫危害，给大枣的质量和产量带来严重影响。有效防治病虫害是大枣生产的重要环节，更是无公害生产的关键技术。在病虫害防治工作中，由于枣农长期以化学防治为主，造成大量天敌被杀伤，病虫抗药性增强；枣果中农药残留量增加，生物食物链受到影响，也直接影响着人们的身体健康。因此，在防治工作中，应积极贯彻预防为主、科学防治、依法治理、促进健康的方针，大力提倡应用农业防治、人工防治、物理防治、生物防治、化学防治等多种防治方法相结合，减少化学农药的应用，保护天敌，防止环境污染，达到人与自然和谐相处，促进人类文明健康发展。根据三门峡市无公害红枣生产、枣树病虫害防治技术规范 DB4112/T109—2004 的规定，无公害红枣生产病虫害防治的原则是：以农业防治和人工防治为基础，大力推广生物防治技术，根据病虫害的发生规律和经济阈值，适当运用化学防治，将病虫害控制在不造成经济损失的水平。要采用的综合防治技术，主要包括以下几个方面。

一、农业防治

农业防治是在枣树栽培过程中，有目的地创造有利于枣树生长发育的环境条件，使枣树生长健壮，提高枣树的抗病虫能力。同时，创造不利于病菌和害虫的活动、繁殖、为害和侵染的环境条件，抑制病虫害发生，减少病虫灾害造成的损失。具体措施如下。

(一)培育无病虫害苗木

有些病虫害是随苗木、接穗、插条、种子等繁殖材料而扩散传播的，对于这类病虫害的防治，必须把培育无病虫苗木作为一项十分重要的措施。如枣疯病等主要通过嫁接和根蘖、叶蝉传播，因此使用无病虫害苗木和接穗就显得十分重要。尤其在建园时，要把培育无病虫害苗木放在重要位置上，以免造成后患。

(二)科学定植枣树

在枣苗栽植时，要严防苗木失水，最好就地育苗，随起随栽，以减少长途运输和假植过程中对苗木的损伤，不给病虫害以可乘之机。如苗木必须远途运输，则挖苗时根系应立即醮泥浆，并用塑料薄膜包扎根系。栽植时要挖大坑，施基肥，栽后土砸实、浇水、树盘覆薄膜。以上措施，目的在于缩短缓苗期，尽快恢复苗木生机，使枣树生长健壮，增加枣树自身抗病虫能力。

(三)枣树休眠期管理

主要是清除越冬病原和害虫，以减少初侵染来源，增强树势，提高枣树抗病虫害能力。在冬季和早春还应结合日常管理，做好预防工作。

1. 翻枣行或刨树盘

秋冬季将枣树行或树盘土壤深翻刨松，以便冻死在地下越冬的部分害虫及病原，减少初次侵染来源，也可积蓄雨雪。

2. 施基肥与灌溉

在秋冬季或春季土壤解冻后施基肥，以晚秋(9 月下旬或 10 月上旬)施肥最好。肥料种类以厩肥为主，其次为堆肥，人粪尿也可施用，施肥后灌溉。施肥数量和方法参照第六章。

3. 合理间作

严禁间作高秆作物如玉米等，因为间种高秆作物会导致枣园的通风透光条件差、湿度大，有利于病虫害的发生，因此可间作花生、红薯等低秆作物。间作小麦或油菜的枣林，应在枣行两侧各留 1 m 宽的营养带，以减轻枣粮争肥水的矛盾。间种春作物的枣林，如在行间种植一茬越冬绿肥，翌春翻入地下，可提高土壤肥力，增强树势，提高抗病能力。如果是退耕地栽植枣树，应严格按照退耕还林的有关要求进行间作。

4. 刮树皮

早春用刮刀将树干、大枝及大枝分杈处的老翘皮、病皮、虫蛀皮等刮净，并收集烧毁，可减少越冬的病原及害虫。刮的深度以露红不露白为宜。伤口处涂 5 ~ 10 波美度石硫合剂，以保护伤口。

5. 修剪

结合修剪，除去病虫枝、枯死枝、清理枣园。将枯枝、落叶、病枝叶、虫果及杂草等集中烧掉，消灭越冬病原、害虫等，减少初侵染来源。

二、人工防治

人工防治病虫害是最原始也是最有效的防治方法　对

枣尺蠖的雌蛾、桃小食心虫的越冬幼虫，可于早春在枣树根颈周围堆土并拍光，树干基部绑塑料薄膜，阻止成虫上树。具有假死现象的象甲、金龟子可进行人工捕杀。秋季在树干上绑草把，能够诱集卷叶蛾幼虫、山楂叶螨等越冬害虫，到冬季解下烧掉，消灭其中的害虫。另外，人工刮除病疤、人工剪除枣疯病枝等，也是防治病虫害的有效方法。

三、生物防治

应用有益生物或其他代谢产物防治植物病虫害的方法称为生物防治。生物防治具有不污染环境、不破坏生态平衡，能有效地控制害虫的种群，且作用持久，对人畜安全，有害生物不产生抗性等优点。

(一)利用有益天敌

枣园中病虫害的天敌种类非常多，这些天敌能捕食多种害虫，常见的天敌昆虫有瓢虫、螳螂、蜻蜓、草蛉、步甲、捕食性螨类等。另外还有大量的益鸟如啄木鸟、大杜鹃、山雀、画眉、角百灵等，它们都能捕食叶蝉、蝽象、木虱、吉丁虫、天牛、金龟子、蛾类幼虫、象皮虫等多种害虫。寄生蜂、寄生蝇类将卵产在害虫体内或体外，待卵孵化为幼虫时，以此幼虫吸食寄主体腔的体液作食物，直至吸干害虫体液使其死亡，达到消灭害虫的目的。有些昆虫病原微生物如白僵菌、苏云金杆菌、刺蛾颗粒体病毒、枣尺蠖核型多角体病毒等，可使枣树害虫患病而降低其种群数量和危害程度，引进和释放这些天敌是增加枣园天敌数量、控制害虫发生的主要生物防治措施。在使用化学药剂时，要尽量协调好与生物防治的关系，保护好天敌，并为天敌补充食料和寄主，可以明显减少喷药次数。

(二)引进或人工繁殖天敌

招引或施放天敌生物可以改变枣园生态环境中的益害比例，调节生物群落组成，降低病虫害数量。目前已成功地繁殖、释放松毛虫赤眼蜂以控制枣镰翅小卷蛾的为害，在其他果树上引进瓢虫防治介壳虫也已成功。人工培养的拮抗微生物直接施入土壤或喷洒在植物表面，可以改变根围、叶围或其他部位的微生物群落组成，建立拮抗微生物的优势，从而控制病原物，达到防治病害的目的。如"5406"抗生菌，做成抗生素肥料施入土壤，发挥防病增产的效果。

(三)昆虫性外激素的应用

昆虫性外激素是由雌成虫分泌的用以招引雄成虫前来交配的一类化学物质，通过人工模拟其化学结构合成的昆虫性外激素，是生物防治的又一条途径，用于虫情测报灵敏简便，用于害虫的诱杀和迷向防治经济有效。还有昆虫脱皮激素、保幼激素以及不育剂的应用，也都在害虫无公害防治中发挥了重要作用。

四、物理防治

物理防治是利用物理因素如光、热、电、温、湿、放射能等，人工或机械防治病虫的方法。

(一)炕烘法

当前的炕枣比晒枣不仅能增产，而且缩短工时，并且采收来的鲜枣在 55~70℃ 的条件下炕烘 20 多个小时，可抑制炭疽病、褐斑病、黑腐病等在枣果中的蔓延，基本上解决在晾晒枣过程中烂果病的危害。

(二)诱杀法

利用黑光灯可以诱杀趋光性强的害虫，如尺蠖、木蠹蛾、金龟子、夜蛾等。

五、化学防治

在病虫害预测预报的基础上，使用化学药剂防治病虫害的方法，称化学防治。灵宝大枣病虫害化学防治应严格遵照《三门峡市无公害红枣生产农药使用准则》DB4112/T110—2004的规定执行。

(一)农药种类

1. 生物源农药

指直接利用生物活性或生物代谢过程中产生的具有生物活性的物质或从生物体提取的物质作为防治病虫害的农药。

1)微生物源农药

(1)农用抗生素：①防治真菌病害，如多抗霉素(试用于防治焦叶病)、农抗 120(试用于防治枣绣病)；②防治细菌病害，如链霉素(防治枣缩果病)；③防治螨类，如浏阳霉素、华光霉素(试用于防治枣壁虱)；④防治类菌质体，如四环素、土霉素(防治枣疯病)。

(2)活性生物农药：①真菌剂，如白僵菌、绿僵菌(试用于防治枣尺蠖、星天牛等)；②细菌剂，如苏云金杆菌、乳状芽孢杆菌(防治枣尺蠖)；③颉抗菌剂，"5406"抗生菌；④线虫即昆虫病原线虫，如防治枣树桃小食心虫的线虫，可在水利条件较好的枣园使用；⑤原虫即微孢子虫；⑥病毒，如枣尺蠖核多角体病毒、颗粒体病毒。

2)动物源农药

(1)昆虫信息素(或昆虫性外激素)：如性信息素(桃小食心虫性信息素、枣黏虫性信息素)。

(2)活体制剂：寄生性、捕食性的天敌动物，如赤眼蜂、捕食螨、各类捕食性蜘蛛等。

3)植物源农药

(1)杀虫剂：除虫菊素、鱼藤酮、烟碱、融杀蚧螨、植物油乳剂、茴蒿素。如用蓖麻油酸烟碱防治枣树龟蜡蚧。

(2)杀菌剂：大蒜素。

(3)拒避剂：印楝素、苦楝、川楝素。

(4)增效剂：芝麻素。

2. 矿物源农药

矿物源农药的有效成分起源于矿物的无机化合物和石油类农药。

1)无机杀螨杀菌剂

(1)硫制剂：硫悬浮剂(防治枣壁虱、红蜘蛛)、可湿性硫、石硫合剂(早春萌芽时使用，起清园作用)。

(2)铜制剂：波尔多液、绿得宝、保果灵、万家丰(松脂酸铜)、DT。前3种用于枣锈病防治；万家丰既可防治枣锈病，又可试用防治炭疽病、缩果病、焦叶病；DT则用于防治缩果病。

2)矿物油乳液

矿物油乳液有多种，如石油乳剂、机油乳剂、蚧螨灵等，用于防治枣龟蜡蚧。

3. 有机合成农药

有机合成农药是由人工研制合成，并由有机化学工业生产的商品化的一类农药，包括杀虫杀螨剂、杀菌剂，除草剂，可在红枣生产上限量使用。

(二)使用准则

无公害红枣生产应从枣园整个生态系统出发，综合运用各种无公害防治措施，创造不利于病虫草害滋生和有利于各类天敌繁衍的环境条件，保持枣林生态系统的平衡和生物多样性，减少各类病虫草害所造成的损失。

要优先采用农业措施，通过选用抗病抗虫品种培育壮苗，加强栽培管理，秋冬深翻枣园，清除枯枝落叶，冬季剪除病虫枝、挖树盘、刮树皮等一系列措施，起到防治病虫的作用。

还应尽量利用灯光、色彩诱杀害虫，如黑光灯、草把诱杀黏虫；机械和人工捕捉害虫，如人工捕捉枣天牛成虫、剜杀虫卵和幼虫。

1. 施药的原则

在特殊情况下，必须使用农药时，应遵守以下几个原则：

(1)允许使用植物源农药、动物源农药和微生物源农药。

(2)在矿物源农药中允许使用硫制剂、铜制剂。

(3)严格禁止使用剧毒、高毒、高残留或者具有三致(致癌、致畸、致突变)的农药(见表9-1)。

表9-1　无公害红枣生产中禁止使用的化学农药种类

种　类	农药名称(部分)	禁用原因
无机砷杀虫剂	砷酸钙、砷酸铅	高毒
有机砷杀虫剂	福美申、田安等	高残毒
有机锡杀虫剂	毒菌锡等	高残毒
氟制剂	氟乙酰胺等	剧毒、高残毒、易药害

续表 9-1

种 类	农药名称(部分)	禁用原因
有机汞杀菌剂	西力生、赛力散	高残毒
有机氯杀虫剂	三氯杀螨醇	我国生产的工业品中含有一定数量DDT
卤代烷类熏蒸杀虫剂	二溴乙烷、二溴氯丙烷	致癌、致畸
有机磷杀虫剂	甲胺磷、氧化乐果、久效磷、对硫磷、甲基对硫磷、甲基异硫磷	高毒
氨基甲酸酯杀虫剂	灭多威、涕灭威等	高毒
二甲基甲脒类杀虫杀螨剂	杀虫脒	慢性毒性、致癌
取代苯类杀虫杀菌剂	五氯硝基苯等	国外有致癌报道或2次药害
植物生长调节剂	有机合成植物生长调节剂如，如 2.4–D	
二苯醚类除草剂	除草醚、茅草站	慢性毒性

(4)如生产上实属必需，允许生产基地有限度地使用部分有机合成化学农药，并严格按表 9-2 中规定的方法使用。

表 9-2 限用农药及其使用方法

农药类别		农药名称	毒性	施药距采收间隔期(天)	常用稀释倍数
杀虫杀螨剂	有机磷杀虫剂	敌敌畏	中等	10	50%乳油 800 ~ 1 000 倍
		乐果	中等	30	40%乳油 500 ~ 1 000 倍
		杀螟松	中等	30	50%乳油 1 000 ~ 1 500 倍
		马拉硫磷	低毒	15	50%乳油 1 000 ~ 2 000 倍
		辛硫磷	低毒	30	50%乳油 1 000 ~ 1 500 倍
		敌百虫	低毒	25	90%固体 500 ~ 1 000 倍
	氨基甲酸酯类	西维因	中等	40	50%可湿性粉剂 500 ~ 800 倍
		速灭威	中等	30	20%乳油 400 倍

续表 9-2

农药类别		农药名称	毒性	施药距采收间隔期(天)	常用稀释倍数
杀虫杀螨剂	菊酯类杀虫剂	溴氰菊酯(敌杀死)	中等	30	2.5%乳油 1 250～2 500 倍
		氰戊菊酯(速灭杀丁)	中等	30	20%乳油 1 600～4 000 倍
		氯氰菊酯	中等	30	10%乳油 2 500～4 000 倍
	特异杀虫剂	抑太保	低毒	12	5%乳油 1 000～2 000 倍
		除虫脲	低毒	30	25%可湿性粉剂 1 000～2 000倍
		灭幼脲	低毒	30	25%悬浮剂 800～1 000 倍
杀菌剂	取代苯类杀菌剂	百菌清	低毒	30	75%可湿性粉剂 600 倍
		甲基托布津	低毒	35	70%可湿性粉剂 800～1 000 倍
	杂环类杀菌剂	多菌灵	低毒	10	25%可湿性粉剂 500～1 000 倍
		扑海因	低毒	20	50%可湿性粉剂 1 000～1 500 倍
		腐霉利	低毒	5	50%可湿性粉剂 1 000～2 000 倍
		三唑酮	低毒	7	20%可湿性粉剂 500～1 000 倍
除草剂	苯氧羧酸类	稳杀得	低毒	杂草 3～5 叶时喷	35%乳油 50～100 mL/亩
		精稳杀得	低毒	杂草 3～5 叶时喷	50%乳油 50～100 mL/亩
	二苯醚类	达可乐	低毒	杂草 1～4 叶时喷	24%水剂 60～100 mL/亩
		虎威	低毒	杂草 2～5 叶时喷	25%水剂 65～130mL/亩
		果尔	低毒	杂草 4～5 叶时喷	23.5%乳油 30～50 mL/亩
	季胺盐类	百草枯	中等	避免直接喷到枣树上	20%水剂 200～300 mL/亩
	杂环类	恶草酮	低毒	发芽前喷	25%乳油 100～200 mL/亩

2. 施药的注意事项

在使用部分有机合成化学农药时,还应注意以下问题:

(1)可选用表 9-2 中列出的低毒农药、个别中等毒性农药以及本规程中列举的其他农药, 如需使用未列出的农药品种, 须向林业技术部门咨询。

(2)有机合成农药在农药产品中的最终残留应从严掌握, 利用国际上最低残留限量标准或为国家标准的 1/2。

(3)最后一次施药距采收间隔天数不得少于规定的日期(见表 9-2)。

(4)每种有机合成农药一年只允许使用一次。

(5)在使用混配有机合成化学农药的各种生物源农药时, 混配的化学农药只允许选用表 9-2 中列出的品种。

以上介绍的 5 种防治方法, 在枣树生产过程中既彼此独立, 又相互联系, 相互配合, 只有通过多种方法的综合运用, 才能达到最佳防治效果。因此, 综合运用多种防治技术是枣农在生产过程中应该掌握的基础知识。

第十章　枣树主要病虫害防治技术

在灵宝枣区发生的主要病害有枣炭疽病、枣缩果病、枣疯病、枣裂果病等；发生的主要虫害有枣尺蠖、枣黏虫、枣芽象甲、桃小食心虫、山楂红蜘蛛等。本章除介绍以上病虫害防治技术外，为了扩大防治范围，还介绍了其他一些常见的病虫害防治方法，以备枣农在生产上查用。

一、枣树主要病害防治技术

枣树病害与其他果树相比，病害种类较少，但某些病害在某些枣区发生较为严重，如枣锈病、枣疯病、枣缩果病、枣炭疽病、枣裂果病等。下面从 12 种病害的发生症状、病原、传播途径及防治技术等方面进行阐述。

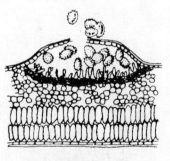
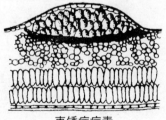

枣锈病病毒
1. 夏孢子堆及夏孢子
2. 冬孢子堆及冬孢子

(一)枣锈病

1. 症状

枣锈病又称枣雾，在枣区均有发生，主要侵害叶片。受害叶片背面起初散生或聚生凸起的土黄色小疱，即病原菌的夏孢子堆。夏孢子堆不规则，直径 0.2 ~

1 mm，大多数生在中脉两旁、叶尖和叶片基部。密集在叶脉两旁的往往许多个连成条状。夏孢子堆开始产生于叶片的表皮下，当其成熟后，表皮破裂，散生黄粉，即夏孢子。在叶片正面对着孢子堆的地方，出现不规则的褪绿小斑点，逐渐失去光泽，以后变成黄橙色角斑，最后干枯，早期脱落。落叶先从树冠下部开始，逐渐向上蔓延，严重时叶片全部脱落，只留下未成熟的小枣挂在树上，以后失水皱缩，不堪食用。叶片早落不仅影响当年枣的产量和质量，而且影响到生长和翌年的产量。到秋季，病叶上夏孢子堆在旁边又长出黑褐色的角状物，不规则形，即病原菌的冬孢子堆，冬孢子堆比夏孢子堆小，直径 0.2～0.5 mm，稍凸起，但不突破叶的表皮。

2. 病原

病原属于真菌中担子菌亚门枣层锈菌。其生活史中只发现夏孢子堆和冬孢子堆。夏孢子呈球形或椭圆形，淡黄色至黄色，单细胞，表面密生短刺，大小为(14～20) μm ×(12～20) μm。冬孢子为长椭圆形或多角形，单细胞，表面光滑，顶端壁厚，大小为(6～20) μm×(8～20) μm，冬孢子上下左右排列数层而成为冬孢子堆。

3. 传播途径和发病条件

病原菌主要以夏孢子堆在病落叶上越冬，病菌也可以多年生菌丝在病芽中越冬。翌年夏孢子借风雨传播到新的叶片上，从叶片正面和背面直接侵入引起初次感染，发病后，又可多次再侵染。空中捕捉夏孢子的试验证明，由外地高空中吹来的夏孢子是初次侵染的第二种菌源。病害的潜育期为 7～15 天。高温多湿的气候有利于病菌侵染蔓延，一般6月中下旬至7月上旬夏孢子开始发芽，侵入叶片；7月上旬、中旬开始出现病症和落叶；8~10月份空气中夏孢子的数量很大，不断进行再侵染，造成大量落叶。先从发病树冠下部叶片开始，逐渐向上蔓延。在病害流行期间，老、嫩叶片均可染病。

4. 测报

6月上旬至7月下旬，在枣园内采用孢子捕捉法(用载玻片涂甘油或凡士林，每两片为一组，涂上甘油或凡士林的面向外，以绳捆固定，悬挂在枣园树上，每两天观察一次)，结合7月份降雨预报，测报枣锈病的发生期和流行情况。一般上旬捕捉到夏孢子到下旬即有锈病发生。7月份降雨量大、锈病就会流行。

5. 防治方法

(1)喷药保护。主要在7月上旬喷洒1次200倍波尔多液(即硫酸铜1份，生石灰2~3份，水200份)或锌铜波尔多液(即硫酸铜0.5~0.6份，硫酸锌0.4~0.6份，生石灰2~3份，水200份)，流行年份可在8月上旬再喷1次。也可用50%代森锌可湿性粉剂500倍液，75%甲基托布津可湿性粉剂1 000倍液，注意，最后一次施药距采收期间隔35天。

(2)加强栽培管理。栽植时不宜过密。对稠密的枝条要适当进行修剪，以利通风透光，增强树势。晚秋清扫树下落叶，集中烧毁或深翻掩埋土中，以减少越冬病原。枣树行间不宜种高秆作物。

(二)枣疯病

枣疯病是枣树上的严重病害之一，一旦发病，翌年就很少结果。病树又叫"公枣树"，发病3~4年后即可整株死亡，对生产威胁极大。

1. 症状

枣疯病主要侵害枣树和酸枣树。一般于开花后出现明显症状，主要表现为花梗延长，花变叶，主芽不正常萌发，造成枝叶丛生现象。其具体症状是：

(1)花变成叶。花器退化，花柄延长，萼片、花瓣、雄蕊均变成小叶，雌蕊转化为小枝。

(2)芽不正常萌发。病株1年生发育枝上的主芽和多年生发育枝上的隐芽均萌发成发育枝，其上面的芽又大部分萌发成小枝，如此逐级生枝。病枝纤细，节间缩短，叶片小而萎黄。

(3)叶片病变。先是叶肉变黄，叶脉仍绿，以后整个叶片黄化，叶的边缘向上反卷，暗淡无光，叶片变硬变脆，有的叶尖边缘焦枯，严重时病叶脱落。花后长出的叶片都比较狭小，具明脉，翠绿色，易焦枯。有时在叶背面的主脉上再长出小的明脉叶片，呈耳状。

(4)果实病变。病花一般不能结果。病株上的健枝仍可结果，果实大小不一，果面着色不匀，凸凹不平，凸起处呈红色，凹处是绿色，果肉组织松软，不堪食用。

(5)根部病变。疯树主根由于不定芽的大量萌发，往往长出一丛丛的短疯根，同一条根上可出现多丛疯根。根细小、黄绿色，有的经强日照射枯死呈刷状。后期病根皮层腐烂，严重者全株死亡。

2. 病原

枣疯病病原为类菌原体(MLO)，是介于病毒和细菌之间的多形态的质粒。无细胞壁，仅以厚度约 10 nm 的单位膜所包围。易受外界环境条件的影响，形状多样，大多为椭圆形到不规则形。一般直径为 250～400 nm。类菌原体的繁殖方式有二均分裂、出芽生殖、在细胞内部生成许多小体再释放出来等形式。类菌原体对四环素族药物(四环素、土霉素、金霉素、氯霉素等)非常敏感，使用这类药物可有效地控制病害的发展。对轻枣疯病株施药后，可使症状减轻或消失。类菌原体侵染枣树后，分布在韧皮部筛管细胞中，其次为伴胞。主要通过筛板孔，随着树体的养分运转而运转。

3. 传播途径和发病条件

发病初期，多数植株 1 个或多个小枝先出现病症，再扩展到全树，也有少数树各部位同时突发病症。发病后，小树 1～2 年、大树 3～6 年逐渐衰弱死亡。在自然状态下，枣疯病由几种叶蝉传播病原，也可以通过嫁接传播。据试验观察，在 6 月份把当年生病枝的芽接在苗木的 1 年生健枝上，被嫁接的枝当年就能表现症状。病原物侵入后，首先运转到根部，经增殖后再由根部向上运行，引起地上部分发病。潜育期最短 25～31 天，最长 1 年。

在自然界中，除嫁接和分根传染之外，也能通过几种叶蝉传病，如橙带拟菱纹叶蝉、凹缘菱纹叶蝉、中华拟菱纹叶蝉、红闪小叶蝉等。几种重要传病叶蝉的特征及生活史见表 10-1。

4. 防治方法

(1)彻底挖除重病树和病根蘖，修除病枝，枣疯病病株是传病之源。枣树发病后不久即会遍及全株，失去结果能

表 10-1　枣疯病的几种重要传病叶蝉的特征及生活史

虫名	中华拟菱纹叶蝉	橙带拟菱纹叶蝉	凹缘菱纹叶蝉
分布	河北、河南、山东、山西、辽宁	河北、山东	山东、江苏、安徽、浙江等
寄主植物	枣、酸枣、榆	枣	枣、酸枣、芝麻、月季、桑、豆类、松、柏
形态特征　成虫	雄虫体长 3～3.2 mm,雌虫体长3.5～4 mm。头部淡褐色,头冠前缘具 2 个近三角形橙黄色小斑,其后有 3 块同色横向相连的楔形大斑。复眼暗红色。前胸背板暗褐色,沿前缘橙黄色。小盾片橙黄色,两侧基角及端部各具有黄褐色大斑 1 块。前翅底色青白,两翅后缘的三角斑可合并成暗褐菱形大斑,即菱纹,纹中有明显葫芦状白斑,斑内各有 2 横排黑点。翅端缘暗褐色	雄虫体长 3～3.5 mm,雌虫体长3.5～3.9 mm。头部淡黄褐色,头冠前缘与后缘各有 1 条白线,前缘冠缝两侧有 1 对褐色小点。复眼褐色。前胸背板色较深,散生黄褐色小斑点。小盾片淡黄褐色。前翅青白色,半透明。翅脉间有很多短小褐色纹。两翅合拢时中央形成菱形黄褐色斑纹。在斑纹中间有一个呈"众"字排列的青白色斑纹。翅端暗褐色	雄虫体长 2.6～3 mm,雌虫体长 2.9～3.3 mm。头部浅黄绿色,有光泽。复眼绿色。前胸背板黄绿色。小盾片二基侧角锈黄色,两角间有 1 条弯曲横线。前翅透明,污白色,散生淡褐色小点和短横线。翅脉淡褐色。两翅合拢时中间形成一个锈褐色菱形大斑,斑中间由前向后由小渐大排列 3 个桃形污白色小斑。翅端色深,有 4 个白色透明小圆点
卵	弯月形,前端钝圆。长约 1.2 mm,宽约 0.4 mm。乳白色	长椭圆形,略弯曲,一端稍尖。长1.31 mm,宽 0.43 mm。初产时乳白色,后变黄色	香蕉形,长 0.7～0.8 mm,宽 0.22～0.26 mm。初产时乳白色,后淡黄色,光亮透明
若虫	共 5 龄。初孵若虫体长 1～1.2 mm。5龄若虫体长 3.5 mm以上	初孵若虫体长0.81～0.92 mm	共 5 龄。初孵若虫体长 0.64～0.73 mm。5 龄若虫体长2.2～2.7 mm

续表 10-1

虫名		中华拟菱纹叶蝉	橙带拟菱纹叶蝉	凹缘菱纹叶蝉
生活史	世代数	1 年 4 代	1 年 3 代	1 年 3 代
	越冬场所	以卵在枣树一二年生枝条或酸枣树上越冬	以卵在刚木栓化的枣枝表皮下越冬	以成虫在松、柏上越冬。部分以卵越冬
	发生期	4 月下旬至 9 月下旬	4 月下旬至 9 月下旬	5 月下旬至 9 月中旬

力，应当及早刨除病株，并将大根一起刨除干净，以免再生病蘖。对小疯枝应在树液向根部回流之前，在落叶前从大分枝基部砍断或环剥，阻止类菌原体随树体养分下行。连续 2～3 年，可基本控制枣疯病的发生。

(2)培育无病害苗木。应在无病的枣园中采取接穗、接芽或分根繁殖，以培育无病苗木。苗圃中一旦发生病苗，应立即拨掉。

(3)防治传媒害虫。加强对刺吸式口器害虫特别是菱纹叶蝉、凹缘菱纹叶蝉和拟菱纹叶蝉的防治，消灭传病媒介；注意剪刀消毒，以防交叉感染。

(4)药物防治。对发病轻的枣树，用四环素族的药物治疗，有一定效果。具体方法是：在病树干距地面 60 cm 左右处，用手摇钻或打孔机沿树干周围钻孔若干个，深达木质部，塞入棉球，用针管将药液注入孔中，以棉球吸足药液为度，再用蜡把孔封严，防止药液流出。通过树液流动，慢慢使药液传至病枝，每年春秋两次向孔中注药，连续两年病枝可痊愈。

(三)枣缩果病

1. 症状

枣缩果病主要侵害果实。果实受害后，多在腰部出现淡黄色水渍状斑块，边缘呈清晰浸润状。随后病斑变为暗红色，无光泽。有的病果从果梗开始有浅褐色条纹，排列整齐。剖开果皮，果肉呈浅褐色，组织萎缩松软，呈海绵状坏死，坏死组织逐渐向果肉深层延伸，味苦。以后病部转为暗褐色，病果则逐渐干缩凹陷，果皮皱缩，故称缩果病。果柄受害后呈暗黄色，提前形成离层，所以枣果未熟即先脱落。

2. 病原

枣缩果病为多病原体病害。

3. 病原传播途径和发病条件

病原菌主要通过风雨作用使果面摩擦而造成的伤口侵入为害，这是侵染的主要途径之一。其次害虫为害枣果造成的伤口也可使病原侵入。发生期与果实发育期以及当时的天气因素密切相关，一般从枣果梗洼变红到果面 1/3 变红的着色前期，枣肉含糖量 18%以上，pH 值 5.5～6，气温 23～26℃时，是该病发病盛期，特别是阴雨连绵或夜雨昼晴的天气，最易造成病害暴发成灾。

4. 防治方法

(1)加强枣树管理，增强树势，提高枣树自身的抗病能力。

(2)根据气候条件，决定防治适期。一般年份可在 7 月

下旬或 8 月上旬喷第一次药，隔 7～10 天后再喷洒 1～2
次。药剂有：链霉素 140 单位/mL；土霉素 140 单位/mL；
卡那霉素 140 单位/mL；50%DT800 倍液。

(四)枣炭疽病

1. 症状

枣炭疽病又称烧茄子病，
主要侵害果实，也可侵染枣
吊、枣叶、枣头及枣股。在果
肩或果腰的受害处，最初出现
淡黄色水渍状斑点，以后逐渐
扩大成不规则黄褐色斑块，中
间产生圆形凹陷病斑，病斑扩
大后连片，呈红褐色。引起落
果。病果着色早，在潮湿条件
下，病斑上长出许多黄褐色小
突起，即为病原菌的分生孢子

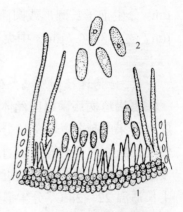

枣炭疽病病菌
1.分生孢子盘　2.分生孢子

盘，上生粉红色黏性物质，即病原菌的分生孢子团。剖开
前期落地病果，发现部分枣果由果柄向果核处呈漏斗形变
黄褐色，果核变黑。重病果晒干后，只剩枣核和丝状物质
连接果皮，味苦，不能食用。轻病果虽能食用，但均带苦
味，品质低劣。叶片受害后变黄绿早落，有的呈黑褐色焦
枯状悬挂在枝头。对在田间症状不明显的枣吊、枣叶、枣
头，经离体保湿培育后，均长出粉红色黏液状分生孢团。

2. 病原

枣炭疽病属真菌中半知菌亚门的胶孢炭疽菌。病原菌
的菌丝体在果肉内生长旺盛，有分枝和隔膜，无色或淡褐

色。直径 3~4 μm；分生孢子盘位于表皮下，大小(142~213)×350 μm，由疏丝状菌丝细胞组成；分生孢子盘上着生黑褐色的束状刚毛，刚毛长 29.2~116.6 μm，宽 2.7~5.3 μm，无分隔或有一个分隔；分生孢子梗着生于分生孢子盘的顶部，无色，短棒状，单胞，长 15~30 μm，宽 3.5~4.8 μm。分生孢子长圆形或圆筒形，无色，单胞，长 13.5~17.7 μm，宽 4.3~6.7 μm，中央有 1 个油球或两端各有 1 个油球。

3. 传播途径和发病条件

枣炭疽病病菌以菌丝体潜伏于残留的枣吊、枣头、枣股及僵果内越冬。翌年，分生孢子借风雨传播，昆虫也能传播，从伤口自然孔口或直接穿透表皮侵入。从花期即可侵染，但通常要到果实接近成熟期和采收期才发病。病菌生长适温 22~28℃，分生孢子发芽要求 95%以上的高湿条件。该病在田间有明显的潜伏侵染现象，潜伏期的长短除受气候条件影响外，与枣树的生活力也密切相关。发病的早晚和轻重，取决于当地降雨时间的早晚和阴雨持续的长短。雨季早、雨量多、阴雨连绵，田间空气相对湿度在 90%以上发病就早而重。枣果在制干过程中，过去是晾晒，日晒夜堆，容易形成高温高湿条件，染病的果实病情可迅速发展，严重者可损失 50%以上。近年来采用烘炕法，病菌在高温条件下即可杀死，解决了烂枣的问题。

4. 防治方法

(1)清园。摘除残留的越冬老枣吊，清扫掩埋落地的枣吊、枣叶，并进行冬季深翻。再结合修剪剪除病虫枝及枯枝，以减少侵染来源。

(2)加强枣园管理。增施农家肥料，增强树势，提高植株抗病能力。

(3)合理间作。枣园间作低秆作物，可减轻病害。

(4)药剂防治。于 7 月中旬至 8 月中下旬,喷洒两次 1：2：200 倍波尔多液,或 600 倍 50%多菌灵或 600 倍 75%百菌清溶液, 保护果实, 既可防治枣锈病又可防治炭疽病的感染。

(五)枣裂果病

1. 症状

果实接近成熟时，如连日下雨，在果面纵向裂开一长缝，果肉稍外露，随之裂果腐烂变酸，不堪食用。果实开裂后，易于引起炭疽病等病原侵入，从而加速了果实腐烂变质。

2. 病因

生理性病害，主要是夏季高温多雨，果实接近成熟时果皮变薄等因素所致；也可能与缺钙有关。

3. 防治方法

(1)合理修剪。注意通风透光，有利于雨后枣果表面迅速干燥，减少发病。

(2)药剂防治。从 7 月下旬开始喷 3 000 ppm 的氯化钙水溶液, 以后每隔 7 ~ 10 天喷 1 次, 连喷 2 ~ 3 次, 可明显地降低枣的裂果病。

(六)枣果锈病

1. 症状

当果皮表面受到外界摩擦或刺伤时，木栓层代替了表皮保护作用，所以果面出现一层锈斑，影响外观。

2. 病因

枣果锈病属于生理性病害。果锈发生与栽培管理水平有关，凡管理条件好，树势壮、叶片完整，果锈发生就轻或不发生，反之则重。多湿、低温、冷风时易引起果锈，特别是与盛花后 16～20 天内的大气湿度关系最为密切，大气湿度越高，果锈率也就越高。果实含氮、磷高，果锈轻，反之则重。锈壁虱为害重的枣园，果锈也重。幼果期喷含硫酸铜高的药剂也能产生果锈。

3. 防治方法

(1)加强枣园管理，增强树势，果实发育良好，果锈显著减少。春季土壤干旱时及时灌水，也可减轻果锈病。

(2)及时防治锈壁虱，也可减轻果锈病。

(3)落花后 10 天喷多菌灵胶悬剂 600 倍或其他杀菌剂。

(七)枣灰斑病

1. 症状

枣灰斑病主要侵害叶片，病斑暗褐色，圆形或近圆形，后期中央变为灰白色，边缘褐色，其上散生黑色小点，即为病原的分生孢子器。

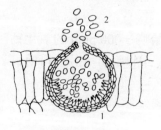

枣树灰斑病病菌

1.分生孢子器；2.分生孢子

2. 病原

枣灰斑病属于真菌中半知菌亚门的叶点霉菌的一种。分生孢子器扁球形,初期埋生于表皮下,成熟后突破表皮外露,褐色。

3. 传播途径和发病条件

病原菌以分生孢子在病叶上越冬,翌年生长期,分生孢子借风雨传播，引起侵染，多雨年份发病较重。

4. 防治方法

(1)秋季清扫落叶，集中烧毁或掩埋，以减少发病来源。

(2)发病期可喷洒 50%退菌特可湿性粉剂 600～800 倍液，或 50%多菌灵可湿性粉剂 800 倍液。

(八)枣煤污病

枣煤污病又称黑叶病，各枣区均有发生，影响枣的生长和结果，降低枣的产量。该病除侵害枣树外，还侵害毛白杨、沙兰杨、柳树、榆树、槐树等。

1. 症状

枣煤污病主要侵害枣树的叶片和枝条。在叶片正面和枝条、叶柄上，布满一层黑色的煤粉状物，影响光合作用。煤粉状物有时可以剥落或被暴雨冲刷掉。

2. 病原

枣煤污病属于真菌中半知菌亚门的煤炱菌，菌丝暗褐色，吊球状，匍匐于叶面。分生孢子形态多样，有单胞、双胞或砖格状。分生孢子器直立，长棍棒状，长 280～455 μm，宽 42～50 μm；分生孢子器椭圆形，淡褐色，单胞，长 3～4 μm，宽

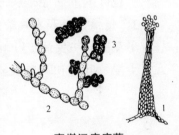

枣煤污病病菌
1.分生孢子器；2.分生孢子梗
3.分生孢子

2～3 μm。分生孢子器也有近球形的，直径 49～70 μm。

3. 传播途径和发病条件

病原菌以菌丝在病叶、病枝等上越冬，由龟蜡介壳虫及风雨传播。6 月间龟蜡介壳虫的若虫大量发生后，以其

排泄出的黏液和分泌物为营养，诱发煤污病菌大量繁殖，6 月下旬至 9 月上中旬是龟蜡介壳虫的为害盛期，此时高温、高湿有利于煤污病的发生。

4. 防治方法

(1)秋季清扫病落叶，集中沤肥或烧毁，以减少发病来源。

(2)保护利用天敌，5～6 月份是寄生蜂的孵化期，避免喷药，在若虫期可用杀虫剂来杀灭害虫。

(九)枣花叶病

花叶病在各枣区均有发生。苗木和大树的嫩叶片受害明显，影响枣树的生长和枣的产量。

1. 症状

叶片变小、扭曲、畸形，在叶片上呈现深浅相间的花叶状。

2. 病原

枣花叶病的病原是病毒。

3. 传播途径和发病条件

枣花叶病主要通过叶蝉和蚜虫传播，嫁接也能传播。天气干旱、叶蝉和蚜虫数量多，发病就重。

4. 防治方法

(1)增强树势，提高抗病能力。

(2)及时治虫可防止病毒传播。

(十)枣褐斑病

1. 症状

该病主要侵害枣果，引起果实腐烂和提早落果。一般在

枣褐斑病病菌

1.分生孢子器；2.分生孢子

8、9月份枣果膨大发白，将要着色时，大量发病，流行年份病果率达50%左右，严重者可达70%以上，甚至绝收。枣果前期感染时，在肩部或胴部出现浅黄色的不规则变色斑，边缘较清晰，以后病斑逐渐扩大，病部稍有凹陷或皱褶。颜色也随之加深变成红褐色，最后整个病果呈黑褐色，失去光泽。剖开病果，可看到病部果肉为土黄色小斑块，严重时大片直至整个果肉变为褐色，最后呈灰褐色至黑色。病组织松软呈海绵状坏死，味苦，不堪食用。后期(9月份)受害枣果表面出现褐色斑点，并逐渐扩大成长椭圆形病斑，果肉呈软腐病，严重时全果软腐。一般枣果出现症状2～3天后即提前脱落。当年的病果落地后，在潮湿条件下，病部可长出许多黑色小斑点，即为病原菌的分生孢子器。越冬病僵果的表面产生大量黑褐色球状凸起，即为病原菌的分生孢子器。

2. 病原

枣花叶病属于真菌中半知菌亚门的聚生小穴壳菌。病原菌的子座组织生于寄主的表皮下，成熟后突破表皮外露，呈球状凸起。每个子座内有1至多个分生孢子器，近圆形，有明显孔口，其大小为$(160.3 \sim 341.3)\ \mu m \times (130 \sim 325)\ \mu m$。分生孢子梗和分生孢子无色，分生孢子纺锤形或梭形，单细胞，其大小为$(18 \sim 29.2)\ \mu m \times (4.3 \sim 7.2)\ \mu m$。

3. 传播途径和发病条件

枣花叶病病原菌的菌丝、分生孢子器和分生孢子在病僵果和枯死的枝条上越冬。翌年，分生孢子借风雨、昆虫传播，从伤口、虫伤、自然孔口或直接穿透枣果表皮侵入。病原菌在6月下旬落花后的幼果期开始侵染，但不发病，病原菌侵入后呈潜伏状态。到果实接近成熟期，其内部的生理生化发生改变，潜伏菌丝迅速扩展，果实才发病。枣果成熟期容易软化腐烂的原因，随着枣果的成熟衰老，其本身呼吸对氧浓度要求较高，而果实在成熟时，果皮蜡质膜、角质膜增厚，透气性减弱，由于这两方面的相互作用，使得枣树果实成熟衰老时容易发生乙醇酵解。即 8 月下旬至 9 月上旬枣果近成熟期开始发病，有潜伏侵染现象。当年发病早的病果提早落地，空气湿度大时，当年又产生分生孢子，再次侵染枣果。通过室内和田间的人工接种证明，该病害的潜育期为 2~7 天。

发病的早晚和轻重，一与当年的降雨次数和枣林中空气的相对湿度密切相关，阴雨天气多的年份，病害发生早而且重，反之发生晚且轻；尤其 8 月中旬至 9 月上旬，若连续阴雨天数多时，病害就会暴发成灾。二与树势的强弱有关，树势弱发病早而重，树势壮发病晚而轻。三与树体环割有关，田间调查环割树，树势弱，新梢少，叶片薄，叶淡，环割易削弱树势，故发病早而重。四与间作物品种有关。枣行间种玉米等高秆作物的，因通风透光差，湿度大，有利于发病，病害发生最重；间作豆类、棉花的，因蟒象、桃小食心虫等较多，为害枣果，造成伤口，便于病原菌从伤口侵入，故而发病也重；与花生和红薯等低秆作物间作的，因通风透光好，湿度小，不利于发病，故而发病轻。

4. 防治方法

(1)搞好清园工作。清除落地僵果，对发病重的枣园或植株，应结合修剪剪除枯枝、病虫枝集中烧毁，以减少病菌来源。

(2)对发病的枣园,增施腐熟的农家肥,可以增强树势,提高抗病能力。枣行间种花生、红薯等低秆作物,不间种玉米等高秆作物,使枣林通风透光好,降低湿度,减少发病。

(3)喷药保护。防治枣褐斑病要从幼果期(6月下旬)开始喷药保护。对历史病株和重病区的枣园应优先防治。根据所用药剂残效期的长短,15天左右喷1次,共喷3~4次。可喷50%毒菌威可湿性粉剂800~1 000倍液(河南农业大学植保系研制)、50%退菌特可湿性粉剂600~800倍液、2%农抗120的200倍液,与1:2:200倍的波尔多液交替使用,同时也可兼治枣锈病。除波尔多液外,其他药剂使用时均需加黏着剂(如0.03%皮胶),以提高药效。

(十一)枣果霉烂病

枣果常发生的霉烂病有枣软腐病、枣红粉病、枣曲霉病、枣青霉病、枣木霉病。

1. 症状

(1)枣软腐病。枣果受害后,果肉发软,变褐,有霉酸味。病果上生长出白色的丝状物,随后又在白色丝状物上长出许多大针头状的黑点,即为病原菌的菌丝体,孢囊梗及孢子囊。

(2)枣红粉病。在受害果实上有粉红色霉层,即为病原菌的分生孢子和菌丝体的聚集物。果肉腐烂,有霉酸味。

(3)枣曲霉病。受害枣果表面上生有褐色或黑色大头针状物,即曲霉菌的孢子穗。霉烂的果实有霉酸味。

(4)枣青霉病。受害枣果变软、果肉变褐、味苦、病果表面生有灰绿色霉层,即为病原菌的分生孢子串的聚集物,边缘白色,即为菌丝层。

(5)枣木霉病。枣果受害后,组织变褐、变软。病果表面生长深绿色的霉状物,即为病原菌的分生孢子团。

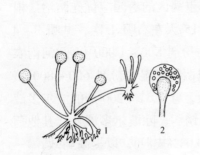

枣软腐病病菌

1.孢囊梗;2.孢子囊和孢囊孢子

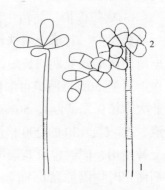

枣红粉病病菌

1.分生孢子梗　2.分生孢子

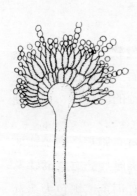

枣曲霉病病菌

分生孢子梗和分生孢子

枣青霉病病菌

分生孢子梗和分生孢子

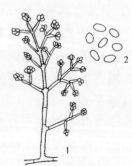

枣木霉病病菌

1.分生孢子梗;2.分生孢子

2. 病原

(1)枣软腐病。属于真菌中接合菌亚门的分枝根霉菌，菌丝发达有分枝，分布于果实的内外，有匍匐丝与假根。孢囊梗从匍匐丝上产生，与假根对生，顶端产生孢子囊。孢子囊球形，其内产生大量的孢囊孢子，有囊轴。孢子囊的壁易破裂。孢囊孢子球形或接近球形，表面有饰纹。

(2)枣红粉病。属于真菌中半知菌亚门的红粉聚端孢霉菌。病原菌的分生孢子梗直立，分生孢子自梗的顶端单个地向下陆续形成，聚集成团，孢子双胞，无色，鞋底形，长$(12\sim18)\mu m\times(8\sim10)\mu m$，下端有着生痕。

(3)枣曲霉病。属于真菌中半知菌亚门的黑曲霉。病菌的分生孢子梗直立，顶端膨大，上面长出放射形排列的小梗，小梗两层，顶端串生球形、褐色的分生孢子，直径$2.5\sim4\mu m$。

(4)枣青霉病。属于真菌中半知菌亚门的青霉菌。分生孢子梗直立，顶端一至多次分生成扫帚状，分枝上长出瓶状小梗，其顶端着生成串的分生孢子，近球形。

(5)枣木霉病。属于真菌中半知菌亚门的绿木霉。分生孢子梗有隔膜，直径$2.5\sim3.5\mu m$，垂直对生分枝，顶芽尖端细削，微弯。尖端着生分生孢子团，有孢子$4\sim12$个；分生孢子无色，球形至卵形，长$2.8\sim4.5\mu m$，宽$2.2\sim3.9\mu m$。

此菌能形成强有力的抗生素。抗生菌对许多植物病原菌，特别是对土根传染的病原菌有抗生作用，尤其是丝核菌，用适当方法进行土壤接种即有防治某些病害的实效。

3. 传播途径和发病条件

各种病原菌孢子广泛分散于空气中、土壤中及枣果表面。当枣果有创伤、虫伤、挤伤等损伤时，霉菌孢子发芽后立即从伤口侵入。采收后，由于果实含水量过高，若遇阴雨天气未及时晒枣，堆放一起，湿度过高，极易发生霉烂，或在贮藏时期温度过高或通气不良时，也易引起霉烂。

4. 防治方法

(1)采收时应防止损伤，可减少病原菌侵入的机会。

(2)将采收的果实及时炕烘处理，可减少霉烂。

(3)贮存前剔除伤果、虫果、病果，放在通风的低温处，防止潮湿。

(十二)枣树缺铁病

1. 症状与病因

枣树缺铁症又叫黄叶病，常发生在盐碱地或石灰质过高的地方，以苗木和幼树受害最重。新梢上的叶片变黄或黄白色，而叶脉仍为绿色，严重时，顶端叶片焦枯。发生原因，主要是由于缺铁所致。当土质含碱和含有大量碳酸钙时，使可溶性铁变为不溶性状态，植物无法吸收，或在体内运转受到阻碍。

2. 防治方法

增施农家肥，使土壤中的铁元素变为可溶性，有利于植株吸收；也可用 3%硫酸亚铁与饼肥或牛粪混合施用，即 0.5 kg 硫酸亚铁溶于水中，与 5 kg 饼肥或 50 kg 牛粪混合后施入根部，有效期约为半年。在生长期也可以向植株喷洒 0.4%硫酸亚铁溶液，均有良好效果。

二、枣树主要虫害防治技术

灵宝枣树发生的虫害与其他果树相比，种类较少，下面就 12 种常见的主要害虫的发生规律、生活习性与防治方法作以介绍。

(一)枣尺蠖

1. 危害

枣尺蠖又称枣步曲，属鳞翅目，尺蛾科。以幼虫为害枣的嫩芽、嫩叶及花蕾，严重发生的年份，可将枣芽、枣叶及花蕾吃光，不但造成当年绝收，而且影响下年坐果。

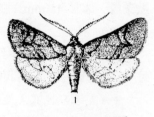

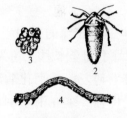

2. 形态特征

(1)成虫。雌雄异型。雌蛾体长 12～17mm，被灰褐色鳞毛，无翅，头细小，触角丝状，口器退化；腹部肥胖，背部有纵向分布的黑色斑点，各足胫节有 5 个白环；产卵器细长，管状，淡黄

枣尺蠖
1.雄成虫；2.雌成虫
3.卵；4.幼虫

色，可缩入体内。雄蛾体长 10～15 mm，翅展 26～35 mm；触角羽状，橙褐色，腹部较细小，背部密生灰褐色节毛及鳞片，各节背面均有两个并列黑点。前翅灰褐色，内横线、外横线黑色且清晰，中横线不太明显，中室端有黑纹，外横线中部折成角形；后翅灰色，中部有一条黑色波状横线，内侧有一个黑点。中后足有一对端距。

(2)卵。椭圆形，有光泽，常数十粒或数百粒聚集成一块。初产时淡绿色，逐渐变为淡褐色，接近孵化时呈暗黑色。

(3)幼虫。共 5 龄，1 龄幼虫黑色，有 5 条白色横环纹；2 龄幼虫绿色，有 7 条白色纵条纹；3 龄幼虫灰绿色，有 13 条白色纵条纹；4 龄幼虫有 13 条黄色与白色相间的纵条纹；5 龄幼虫(老龄幼虫)灰褐色或青灰色，有 25 条灰白色纵条纹，体长 45 mm，胴部灰褐色，胸足 3 对，腹足 1 对，臀足 1 对。

(4)蛹。纺锤形，枣红至暗褐色，长 10～15 mm，臀刺较尖，端分二叉，基部两侧各有 1 小突起。

3. 生活习性及发生规律。

1 年 1 代，有少数个体 2 年完成 1 代。以蛹在树冠下 3～20 cm 深的土中越冬，近树干基部越冬蛹较多。翌年 3 月中旬至 5 月上旬为成虫羽化期，盛期在 3 月下旬至 4 月上旬。雌蛾羽化后于傍晚大量出土爬行上树；雄蛾趋光性强，多在下午羽化，出土后爬在树干、主枝阴面静伏，晚间飞翔寻找雌蛾交尾。雌蛾交尾后 3 日内大量产卵，每雌产卵量 1 000～1 200 粒，卵多产在枝杈粗皮裂缝内，卵期 10～25 天。枣芽萌发时幼虫开始孵化，盛期在 4 月下旬至 5 月上旬，末期在 5 月下旬。幼虫为害期在 4～6 月，以 5 月为害最重。幼虫喜分散活动，爬行迅速并能吐丝，1～2 龄幼虫爬过的地方即留下虫丝，常借风力垂丝传播蔓延，具假死性，遇惊扰即吐丝下垂。幼虫的食量随虫龄增长而急剧增大，老熟后即入土化蛹越夏、越冬。入土化蛹的过程从 5 月中下旬开始，6 月中旬结束。

枣尺蠖成虫的羽化受天气影响很大，气温高的晴天出土羽化多，气温低阴天或降雨天则出土少。

4．防治方法

(1)阻止成虫、幼虫上树。于 2~3 月份成虫羽化前，在树干基部堆 30~40 cm 高的锥形土堆，环绕树干基部，土堆的坡度愈大愈好，并于树干基部绑 20 cm 宽的塑料薄膜带。环绕树干，下缘用土压实，接口处钉牢，上缘涂上黏虫药带，以阻止无翅雌蛾爬行上树，也可防止树下幼虫孵化后爬行上树，每天清晨处理树下雌蛾或幼虫。

(2)杀卵。在环绕树干的塑料薄膜带下方绑一圈草绳，引诱雌蛾产卵其中，自 3 月中旬起，每 10 天换 1 次草绳，换下后烧掉。如此更新 3~4 次即可。

(3)挖蛹。秋季和早春成虫羽化前，在树干周围 1~2 m 范围内，深 3~10 cm 处挖出越冬蛹集中处理。

(4)敲树振虫。利用 1~2 龄幼虫的假死性，可振落幼虫及时消灭。

(5)药剂防治。幼虫 3 龄前于树上喷药防治。喷高效、低毒、低残留农药，药剂可用25%灭幼脲 3 号 2 000~2 500 倍液，90%敌百虫 500~1 000 倍液。为了防止害虫产生抗性而影响防治效果，对杀虫药剂要轮换使用。

(二)枣黏虫

1．危害

枣黏虫又名枣镰翅小卷蛾、卷叶蛾、包叶虫、黏叶虫等。属鳞目，小卷叶蛾科。以幼虫食害枣芽、枣花、枣叶，并蛀食枣果，导致枣花枯死，枣果脱落，对产量影响较大。

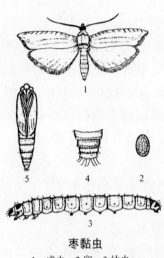

枣黏虫

1. 成虫；2. 卵；3. 幼虫；
4. 蛹的腹部末端；5. 蛹

2. 形态特征

(1)成虫。体长 6 ~ 7 mm，翅尾 13 ~ 15 mm。体黄褐色或灰褐色，触角丝状，复眼暗绿色。前翅黄褐色、长方形，顶角突出尖锐且略向下弯曲，前缘有黑褐色斜纹 10 多条，翅中部有黑色纵纹 2 条。后翅深灰色，缘毛较长。足黄色，跗节具黑褐色环纹。

(2)卵。扁椭圆形，长约 0.6 mm，表面有网状纹。初产时白色透明，有闪光，两天后变红黄色，最后变为橘红色。

(3)幼虫。共 5 龄。初孵幼虫头部黑褐色，胸、腹部黄白色，逐渐呈黄绿色。老熟幼虫体长 12 mm 左右。头部褐色，胸、腹黄色、黄绿色或绿色。前胸背板红褐色，分为 2 片，两侧与前足间各有红褐色斑 2 个。腹部末节背面有"山"形红褐色斑纹。具臀节，臀节 3 ~ 6 根，以 4 ~ 5 根为多。胸足 3 对，褐色；腹足 4 对，腹足趾钩双序环；臀足 1 对，近白色。

(4)蛹。长 6 ~ 7 mm，初为绿色，后逐渐变为红褐色，腹部各节前后缘各有一列齿状突起，腹部末端具臀棘 8 根，端部弯曲有刚毛。

(5)茧。白色。

3. 生活习性及发生规律

在灵宝地区 1 年发生 3 代，世代重叠，均以蛹在枣树主干粗皮裂缝内越冬，翌年春季羽化出成虫。在灵宝 3 月中旬至 4 月下旬成虫羽化，卵产于嫩芽和光滑的枝条上，第一代幼虫 4 月上旬至 5 月中旬孵化后钻入芽内，咬食嫩芽和嫩叶，使枣树不能正常发芽，外观象枯死，造成枣树第二次发芽，产枣量大幅度降低。幼虫期 25 天左右。老熟幼虫在黏叶内做茧化蛹。6 月上中旬到 7 月下旬发生第二代幼虫，先为害枣花，继之为害枣叶和幼果，虫期 20 天左右。老熟幼虫在黏叶内做茧化蛹。8 月上旬至 9 月下旬发生第三代幼虫，除为害枣叶外，还啃食果皮和蛀入果内，造成落果，影响产量和品质。幼虫期 30 ~ 35 天。

成虫白天潜伏在枣叶背面或枣园内的其他植物上，夜间活动，对黑光灯趋光性强。羽化后第二天即交尾，交尾后第二天开始产卵，多数产于枣叶正面中脉两侧，一张叶片可有卵 1 ~ 3 粒。幼虫为害枣叶时，吐丝将叶片粘在一起，在内取食叶片，形成网膜状残叶。为害枣花时，侵入花序，咬断花柄，蛀食花蕾，并吐丝将花蕾缠绕在枝上，被害花变色但不脱落，故满树枣花呈枯黑一片。为害枣果时，除啃伤果皮外，幼虫还蛀入果内，粪便排出果外，被害果不久即发红脱落，也有与叶粘在一起的虫果不脱落。幼虫能吐丝下垂并随风飘移传播。老熟幼虫在叶苞内、花序中、枣果内或树皮裂缝内结白色薄茧化蛹。

枣黏虫的各代发生期受气温的影响而有早有迟。雌蛾产卵最适合温度为 25℃，气温在 30℃以上时产卵量少。在灵宝枣区，以第二代卵量最多，第三代卵量最少。

4. 防治方法

(1)冬春灭蛹。冬季或早春刮除树干的粗皮，锯去残破枝头，集中烧毁。主干涂白，并用胶泥堵塞树洞，以消灭越冬蛹。

(2)束草杀蛹。在 9 月上中旬末代幼虫化蛹前，于主干分杈处束草，引诱末代幼虫入草束化蛹，翌春成虫羽化前解下草束烧毁。

(3)诱杀成虫。在成虫发生期用黑光灯诱杀成虫。

(4)生物防治。在第二代成虫产卵期，每亩释放 3 000~5 000 头赤眼蜂，或在幼虫期对树冠喷施 200 倍青虫菌微生物农药，可有效地防治该虫。

(5)药剂防治。在各代幼虫孵化盛期，特别是第一代幼虫孵化盛期喷 90%敌百虫 800~1 000 倍液或 2.5%溴氰菊酯(敌杀死)1 250~2 500 倍液。

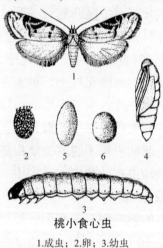

桃小食心虫

1.成虫；2.卵；3.幼虫
4.蛹；5.夏茧；6.冬茧

(三)桃小食心虫

1. 危害

该虫是一种杂食性害虫，不但危害桃，而且还危害枣、苹果、杏和山楂等。在其危害严重的枣园，虫果率高达 90%以上。被害枣果，提前变红，过早脱落，果内堆积虫粪，不堪食用，失去食用价值，造成严重经济损失。

2. 形态特征

(1)成虫。体长 5~8 mm，

翅展 13~18 mm，全体灰褐色，雌蛾比雄蛾体型稍大。复眼红色至深褐色。触角丝状，雄蛾触角每节肢面两侧具纤毛，雌蛾则无。下唇须两性蛾差别大，雌蛾长而直，如剑状，雄蛾则短而弯曲向上方。前翅前缘近中部有一蓝黑色近似三角形大斑，翅基部及中央部分具有黄褐色或蓝褐色的斜立鳞毛，后翅灰白色，翅缰雄蛾 1 根，雌蛾 2 根。腹部灰黄褐色，雄蛾腹尾有较长的黄色毛状鳞片。

(2)卵。椭圆形，长约 0.5 mm。初产时淡红色，之后变为深红色。卵壳上有许多近似椭圆形的刻纹，顶部环生 2~3 圈"丫"状毛刺。

(3)幼虫。体长 13~16 mm，头褐色，前胸背板暗褐色，体背其余部分桃红色，无臀节。

(4)蛹。长 6~8 mm，淡黄至褐色，体壁光滑。

(5)茧。分为两种：一是冬茧，扁圆形，茧丝紧密，长约 5 mm；二是夏茧，纺锤形，质地疏松，长约 13 mm。

3. 生活习性及发生规律

在灵宝枣区 1 年发生 1 代，以老熟幼虫在土中结扁圆形茧越冬。越冬深度最浅可在土表，最深可达 15 cm，以 3~8 cm 处为多；越冬幼虫的平面分布范围主要在树干周围 1 m 以内。翌年 5 月中旬幼虫开始破茧出土，可一直延续到 7 月中旬；6 月上旬为盛期。幼虫出土时间的早晚、出土数量的多少与 5、6 月份降雨关系密切，降雨早，则出土早，雨量充沛集中，则出土快而整齐；反之，雨量小，降雨分散，则出土晚而不整齐。幼虫出土后，一天内即可在树干基部附近的土缝、石缝或杂草根际处吐丝结成纺锤形的夏茧化蛹，蛹期 9~15 天。6 月下旬至 7 月上旬为成虫羽化发生较多时期，直到 9 月份仍有成虫发生。成虫白天潜伏于枝干、树叶及草丛等背阴处，日落后开始活动，深夜最为活跃，交尾后 2～3 天产卵，散产，卵多产在叶背面基部，少数产在枣果梗洼处。每雌蛾产卵 40～50 粒，高者可达 100 粒。幼虫孵出后多数从枣果近顶部和中部蛀入。幼虫蛀入果后，先在果皮下潜食，果面可见到淡褐色潜痕，不久便可蛀至枣核，并在枣核周围边取食、边排粪，使枣核四周充满虫粪。幼虫在果实内生活约 17 天后老熟，脱果入土结茧。

4. 预测预报

(1)越冬幼虫出土期预测。在树冠下 5～6 cm 深处埋入桃小食心虫冬茧 100 个或更多，5 月上旬罩笼，每天检查出土幼虫数，当出土幼虫达 5%时，开始地面施药。

(2)成虫发生期预测。采用性诱芯诱集雄蛾的方法。每诱芯含性外激素 500 μg，诱蛾的有效距离可达 200 m。成虫发生期前，在枣园内均匀地选择若干树，在每株树冠阴面外围离地面 1.5 m 左右的枝条上悬挂一个诱芯，诱芯下吊一个碗或其他广口器皿，其内加入 1%洗衣粉溶液，要求水面距诱芯 1 cm。每天早上检查所诱到的蛾数，逐一记载后捞出，并补充洗衣粉液保持水面，每 5 天彻底换水 1 次。平均每天一个诱芯诱到一头雄蛾时，即可在树上喷药。

5. 防治方法

(1)树下防治。于 5 月份幼虫出土前，在树干周围半径为 1 m 以内的地面，覆盖地膜，抑制幼虫出土，兼有保墒效果。或在越冬幼虫出土期，可进行地面喷药防治。常用的药剂有 50%辛硫磷乳剂 200 倍液，喷后轻耙地面；也可用白僵菌普通粉剂 2 kg 加入 48%乐斯本乳油 0.15 kg(或 25%辛硫磷微胶囊剂 0.5 kg)兑水 150 kg 树盘，喷后覆草，防效可达 90%以上。

(2)树上防治。根据预测预报，掌握最佳的防治时期，重点毒杀卵及初孵幼虫。诱蛾高峰期的 1 周左右，这是树上喷药的最佳时期。药剂采用25%灭幼脲3号2 000～2 500倍液等。

(四)枣芽象甲

1. 危害

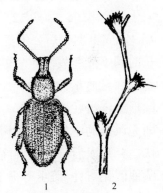

枣芽象甲

1.成虫；2.被害状

枣芽象甲又名食芽象甲、枣飞象、小灰象鼻虫等。属鞘翅目，象甲科。以成虫危害枣芽和幼叶，发生严重时把枣芽的幼叶全部吃光，造成二次发芽，使生长期缩短，开花和坐果期推迟，树势削弱，果实变小，产量下降。该虫除危害枣树外，还危害苹果、梨、桃等果树。

2. 形态特征

(1)成虫。体长 4～6 mm，长椭圆，灰色，雄虫色稍深。头管粗短，头部背面两复眼之间凹陷，触角膝状 11 节，端部 3 节略膨大，着生在头管近前端。前胸宽略大于长，两侧中部圆突。鞘翅长 2 倍于宽，近端 1/3 处最宽，末端较狭，两侧包向腹面，鞘翅上各有纵刻点列 9～10 行和模糊的褐色晕斑。腹部腹面可见 5 节，腹面银灰色。

(2)卵。长椭圆形，长 0.6~0.7 mm，宽 0.3~0.4 mm，光滑。初产时乳白色，近孵化时呈棕褐色。

(3)幼虫。体长 5~7 mm，头淡褐色，体乳白色，略弯曲，无足。前胸背面淡黄色。

(4)蛹。长 4~6 mm，略呈纺锤形，初灰白色，近羽化时红褐色。

3. 生活习性及发生规律

每年发生 1 代，以幼虫在土中越冬。翌年 3 月下旬至 4 月上旬化蛹，蛹期 12~15 天。4 月中旬至 4 月下旬成虫羽化。成虫羽化后一般经 4~7 天出土食害嫩芽，芽受害后长时间不能萌发。重发的新芽，枣节生长短，仅能结少量晚枣，且质量差。幼叶展开后，枣芽象甲可将叶尖咬成半圆形或锯齿状缺刻。5 月以前由于气温较低，成虫多在晴朗无风天的中午前后上树危害，早晚则在近树干的土中潜伏。5 月以后，气温升高，成虫则喜早晚活动，并有受惊坠地假死习性。雌虫寿命 20~30 天。卵多产于枣树的嫩芽、叶面、枣股翘皮下或裂缝中，多为块状，每块 3~10 粒。1 头雌虫可产卵 12~45 粒，最多可达 100 余粒，卵期 15 天左右。5 月中旬至 6 月上旬幼虫孵化后，即沿树干下树潜入土中，取食植物细根。9 月以后再下潜至 30 cm 左右深的土中越冬。翌年春，气温回升时，上升到离地表 10~20 cm 处活动，化蛹时蛹室距土表 3~5 cm。

4. 防治方法

(1)人工防治。成虫发生期，利用其假死性，可在早晨或傍晚人工振落捕杀。

(2)地面喷药防治。成虫出土前，在树干周围 1 m 以内，喷洒 50%辛硫磷乳剂 300 倍液，或 3%辛硫磷粉剂，施药后耙匀表土，以毒杀羽化出土成虫。

(3)树上喷洒。在枣树发芽时，对树上喷 25%杀虫星 1 000 倍液，或 25%辛硫磷 1 500 倍液。

(五)枣龟蜡蚧

1. 危害

枣龟蜡蚧又名日本龟蜡蚧、龟甲蚧、枣虱子等，属同翅目，蜡蚧科。已知寄主植物达 40 余科 100 多种，除严重危害枣树外，还可危害柿、苹果、梨等。以若虫和雌成虫刺吸 1~2 年生枝条和叶片的汁液，并分泌大量排泄物，引起煤污菌寄生，使枝条、叶片、果实布满黑霉，严重影响光合作用和枝条、果实的正常生长，引起早期落叶，幼果脱落，树势衰弱，严重时可使枣树整枝或整株枯死。

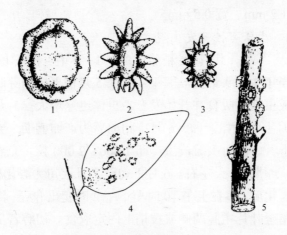

日本龟蜡蚧

1.雌虫；2.雄虫；3.若虫；4,5.被害状

2. 形态特征

(1)成虫。雌成虫虫体椭圆形,紫红色,触角鞭状 5～7 节,头、胸、腹不明显;足 3 对,发达;蜡质介壳白色,背面隆起,有龟形纹。受精雌成虫体长 2～3 mm,产卵时呈半球状。雄成虫棕褐色,体长 1.3 mm,有翅 1 对,翅展 2 mm 左右,触角丝状,10 节,翅白色透明,有 2 条明显脉纹。

(2)卵。椭圆形,长约 0.3 mm,初产时淡橙黄色,近孵化时紫红色。

(3)若虫。初孵若虫体扁平,椭圆形,长约 0.5 mm,孵出约 14 天后,体背出现蜡质介壳,周围为星芒状蜡角。3 龄后雌若虫介壳上出现龟形纹。

(4)蛹。仅雄虫在介壳下化蛹,棱形、棕褐色,裸蛹,长约 1.2 mm、宽 0.5 mm。

3. 生活习性及发生规律

1 年发生 1 代,以受精雌成虫在 1～2 年生枝条上越冬,尤以当年生枣头最多。翌年 4 月底 5 月初枣树萌芽时,越冬雌成虫恢复吸食并开始发育,虫体迅速增大。5 月下旬至 6 月上旬开始产卵,6 月中旬前后为产卵盛期。卵产于母体下,一般每头雌成虫产卵 1 000～2 000 粒,充满雌虫介壳。卵期 20 天左右。6 月下旬至 7 月上旬为孵化盛期。若虫孵化后,多在上午 10 时至下午 2 时爬出介壳,沿枝条向上爬至叶片主脉两侧或枝梢上固定取食。初孵若虫还可借风力作较远距离的传播。若虫固定后,开始分泌蜜露,引起煤污病。固定取食 1～2 天后,体背出现两列蜡点,约 14 天后,即形成完整的星芒状蜡质介壳。雄若虫直至化蛹始终固定在叶片上不能活动，雌虫则有逐渐向枝条迁移的能力，而以变为成虫后向枝条迁移最多，8月下旬至9月上旬为迁移盛期。为害至11月上中旬，与雄成虫交尾后即进入越冬期。

4. 防治方法

(1)人工防治。冬季刮除枝条上的越冬雌成虫，或配合修剪，剪除虫枝，也可在冬季枣枝上结有冰凌时，及时敲打树枝，使虫体随冰凌震落。

(2)利用天敌灭虫。枣龟蜡蚧天敌较多，调查发现，枣园间作的小麦，麦收后大批瓢虫转移到枣树上捕食孵化的若虫，可有效地减轻枣龟蜡蚧的为害。

(3)药剂防治。药剂防治日本龟蜡蚧的关键是掌握好杀虫时机。从若虫孵出至形成蜡质介壳前，是杀虫的最佳时机。若虫一旦形成介壳后，药剂防治就难以生效。在7月上旬若虫孵化前，对树体喷25%杀虫星1 000倍液，或50%马拉硫磷1 000倍液；或在枣树发芽前喷10%的柴油乳剂，防治越冬雌成虫。

(六)黄刺蛾

1. 危害

黄刺蛾又名洋辣子、八角虫，属鳞翅目，刺蛾科。为杂食类害虫，除危害枣外，还危害苹果、梨、桃、杏、核桃、花椒、杨、柳、榆、槐等90多种植物。以幼虫从叶背取食叶肉，留下叶柄和叶脉，把叶片吃成网状，危害严重时可把叶片全部吃光。

2. 形态特征

(1)成虫。体长13～16 mm，翅展30～34 mm。头和胸

部黄色，腹部背面黄褐色。触角丝状灰褐色，复眼球形黑色。前翅内半部黄色，外半部为褐色，有两条暗褐色斜线，在翅尖上汇合于一点，呈倒"V"形，内面一条伸到中室下角，为黄色与褐色两个区域的分界线。后翅淡黄褐色，边缘色较深。

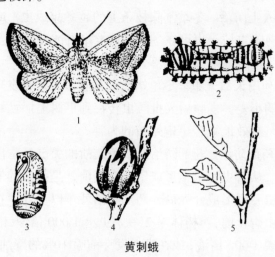

黄刺蛾

1.成虫；2.幼虫；3.蛹；4.茧；5.被害状

(2)卵。扁平，椭圆形，黄绿色，长 1.4～1.5 mm。表面有线纹，初产时黄白，后变黑褐色。

(3)幼虫。老熟幼虫体长 19～25 mm，头小，黄褐色。胸部肥大，黄绿色。身体背面有一大型的前后宽、中间细的紫褐色斑和许多突起枝刺。身体上的这些枝刺，以腹部第一节的最大，依次为腹部第七节，胸部第三节，腹部第八节；腹部第二至六节的突起枝刺小，其中第二节的最小。气门红褐色，气门上线黑褐色，气门下线黄褐色。臀板上有两个黑点，胸足极小，腹足退化，第一至七节腹节腹面中部各有一扁圆形"吸盘"。

(4)蛹。椭圆形，长 13～15 mm，黄褐色。

(5)茧。灰白色，质地坚硬，表面光滑，茧壳上有几道长短不一的褐色纹，形似雀蛋。

3. 生活习性及发生规律

灵宝枣区 1 年发生 1 代，以老熟幼虫在小枝的分枝处、主侧枝以及树干的粗皮上结茧越冬。第二年 5 月中旬，幼虫在茧内化蛹，蛹期 15 天左右。6 月中旬出现成虫，成虫寿命为 4～7 天，有趋光性，白天在叶背静状，夜间活动，羽化后不久便交尾产卵。卵产于叶背面，常数十粒连成一片。每头雌成虫可产卵 50～70 粒，半透明，卵期 7～10 天。初孵出幼虫，先群集，后分散，危害期为 7 月中旬至 8 月下旬。9 月上旬其幼虫老熟，在枝杈处作茧越冬。

4. 防治方法

(1)人工防治。结合冬季修剪，剪除越冬虫茧。利用初孵出幼虫的群集习性，适时剪除有幼虫群集的叶片，将其集中消灭。

(2)保护利用天敌。黄刺蛾茧内上海青蜂寄生率很高，在冬季或春季，剪下树上的越冬茧，挑出被寄生茧，保存在树阴处的铁纱笼中，让天敌羽化后能飞回自然界。被寄生的黄刺蛾茧的上端有一寄生蜂产卵时留下的小孔，容易识别。

(3)黑光灯诱杀。利用成虫的趋光性，用黑光灯和神乐牌全自动高效灭蛾器，予以诱杀。

(4)药剂防治。在幼虫期喷洒青虫菌 800 倍液，或 25%杀虫星 1 000 倍液，或 25%灭幼脲 3 号 2 000～2 500 倍液。

(七)山楂红蜘蛛

1. 危害

山楂红蜘蛛又名火龙虫，山楂红叶螨。属蛛形纲、蜱螨目，叶螨科。为世界性害虫，全国大部分枣区都有发生。该虫除为害枣树外，还为害苹果、梨、桃、樱桃、山楂等多种果树，以及棉花、小麦、芝麻、大豆与向日葵等作物，为杂食性害虫。对枣树而言，它是枣树生长中后期为害叶片的主要害虫之一。6~8月份，在天旱年份为害严重。叶片被为害后，光合作用受到抑制，提早脱落，减少养分积累，而且对来年枣树的生长和结果也有较大的不利影响。

2. 形态特征

(1)成螨。雌成虫为椭圆形，分冬螨和夏螨两种。冬螨体长 0.4~0.6 mm，深红色，体背隆起。夏螨较大，体长 0.5~0.7 mm。初时身体为鲜红色，后渐变为深红色。雄成虫体长 0.35~0.45 mm，纺锤形，体浅黄绿至浅橙黄色。

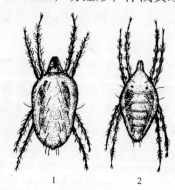

1　　　　　　　2

山楂红蜘蛛

1.雌成螨；2.雄成螨

(2)卵。球形，初产出时为白色，透明，孵化前变为橙黄色。

(3)幼螨。幼螨卵圆形，黄白色，有 3 对足。初孵化出时为乳白色，取食后变为淡绿色，体背两侧出现深绿长斑。若螨足 4 对，淡绿色至浅橙黄色，体背出现刚毛，两侧有常绿斑纹。后期可辨别雌雄，雌螨卵圆形，雄螨身体末端较尖。

3. 生活习性及发生规律

在灵宝枣区一年发生 8~9 代，以受精雌成虫在树皮裂缝和树干基部附近杂草或土块等处越冬。翌年枣树萌芽时，越冬幼虫出蛰活动，为害枣芽和幼叶，枣树展叶后，转移到叶背为害并产卵，卵期 10 天左右。第一代幼螨在 5 月中下旬出现，第二代后世代重叠。6 月中下旬麦收后，其为害逐渐严重。7~8 月份，为害最为严重。山楂叶螨的为害程度，与气象因子有一定的关系，天旱年份为害严重，多雨年份为害则较轻。

4. 防治方法

(1)冬季刮树皮，并将刮下的树皮予以深埋或烧毁，以消灭树皮内的越冬螨。

(2)枣树萌芽前，对树上和树下喷洒 3~5 波美度石硫合剂。

(3)8 月上旬，在树干上束草，诱杀叶螨，冬季解下草束烧掉，消灭害螨。

(4)进行药物防治。麦收后，喷洒 50%马拉硫磷乳油 1 000~2 000 倍液，或 1.8%齐螨素 4 000~6 000 倍液，毒杀害螨。

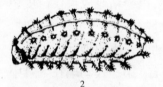

扁刺蛾

1.成虫；2.幼虫

(八)扁刺蛾

1. 危害

扁刺蛾又名黑点刺蛾，幼虫俗称洋辣子，属鳞翅目，刺蛾科。为害枣、苹果、梨、桃、梧桐、枫杨、白杨、泡桐等多种果树和林木，以幼虫取食叶片，发生严重时，可将寄主叶片吃光，造成减产。

2. 形态特征

(1)成虫。体长 13～18 mm，翅展 28～39 mm。体暗灰褐色，腹面及足的颜色更深。触角，雌丝状，基部十多节呈栉齿状；雄羽状。前翅灰褐稍带紫色，中室的前方有一明显的暗褐色斜纹，自前缘近顶角处向后缘中部倾斜；中室上角有一黑点，雄蛾较明显。后翅暗灰褐色。

(2)卵。扁平光滑，椭圆形，长 1.1 mm，初为淡黄绿色，后呈灰褐色。

(3)幼虫。老熟幼虫体长 21～26 mm，宽 16 mm，体扁、椭圆形，背部稍隆起，形似龟背，全体绿色或黄绿色，背线白色。体两侧各有 10 个瘤状突起，上生有刺毛，每一体节背面有 2 小丛刺毛，第四节背面两侧各有一红点。

(4)蛹。长 10～15 mm，前端肥钝，后端略尖削，近似椭圆形。初为乳白色，近羽化时变为黄褐色。

(5)茧。长 12～16 mm，椭圆形，暗褐色，形似鸟蛋。

3．生活习性及发生规律

扁刺蛾在灵宝1年发生1代，以老熟幼虫在寄主树干周围土中结茧越冬，次年5月中旬化蛹，6月上旬开始羽化为成虫。成虫羽化多集中在黄昏时分，尤其下午6~8时羽化最多，成虫羽化后即进行交尾产卵，卵多数产于叶面，卵期约7天。初孵化的幼虫停息在卵壳附近，并不取食，蜕第一次皮后，先取食卵壳，再啃食叶肉，仅留一层表皮。幼虫取食不分昼夜。自6龄起，取食全叶，虫量多时，常从一枝的下部叶片吃至上部，每枝仅存顶端几片嫩叶。幼虫期共8龄，老熟后即下树入土作茧，下树时间多在晚上8时至翌日清晨6时，而以后半夜2~4时下树数量最多。结茧部位的深度和距树干的远近均与树干周围的土质有关，黏土地结茧位置浅，距树干远，也比较分散；腐殖质多的土壤及沙壤土结茧位置较深，距树干较近，而且比较密集。

4．防治方法

(1)松土诱虫。在幼虫下树结茧之前，疏松树干周围的土壤，以引诱幼虫集中结茧，然后收集虫茧集中消灭。

(2)药物防治。发生严重的年份，可于幼虫期喷药防治，25%亚胺硫磷乳剂600倍液，或2.5%溴氰菊酯乳剂2 000~3 000倍液，或0.5亿/mL芽孢的青虫菌液。

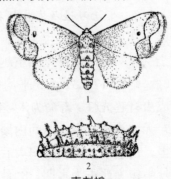

枣刺蛾

1.成虫；2.幼虫

(九)枣刺蛾

1．危害

枣刺蛾又名枣奕刺蛾，属

鳞翅目，刺蛾科。幼虫取食枣、柿、苹果、梨、核桃、杏等叶片，低龄幼虫取食叶肉，稍大后即可取食全叶。

2. 形态特征

(1)成虫。翅展 24 ~ 32 mm，褐色。头小，腹部背面各节有似"人"字形红褐色鳞毛。前翅基部褐色，中部黄褐色，近外缘处有两块近似菱形的斑纹连在一起，前块褐色，后块红褐色。横脉上有一个黑点。后翅灰褐色。

(2)卵。长 1.2 ~ 2.2 mm，椭圆形，扁平。

(3)幼虫。初孵幼虫体长 0.9 ~ 1.3 mm，筒状，浅黄色，背部色稍深。头部第一、二节各有 1 对较大的刺突，腹末有 2 对刺突。老熟幼虫体长约 21 mm，头褐色，很小，缩于胸前。胸腹部淡黄绿色，胸部有 3 对、体中部有 1 对，腹末有 2 对红色的长枝刺。各体节两侧各有一红色短刺毛丛。

(4)蛹。长 12 ~ 13 mm，椭圆形，初为黄色，后渐变为浅褐色，羽化前为褐色。

(5)茧。长 12 ~ 13 mm，椭圆形，土灰褐色。

3. 生活习性及发生规律

在灵宝每年发生 1 代，以老熟幼虫在树干基部周围表土层 7 ~ 9 cm 的深处结茧越冬。翌年 6 月上旬越冬幼虫化蛹。蛹期 17 ~ 31 天，平均 21.9 天。6 月下旬开始羽化，成虫有趋光性，寿命为 1 ~ 4 天，白天静伏于叶背。卵期约 7 天，初孵幼虫短时间内聚集取食，然后分散在叶背面为害，初期取食叶肉，稍大后即可取食全叶。7 月下旬至 8 月中旬为严重为害期。8 月下旬开始，老熟幼虫逐渐下树入土，结茧越冬。

4. 防治方法

(1)人工防治。利用初孵出幼虫的群集习性，适时剪除有幼虫群集的叶片，将其集中消灭。

(2)保护利用天敌。枣刺蛾茧内上海青蜂寄生率很高，在冬季或春季剪下树上的越冬茧，挑出被寄生茧，保存在树阴处的铁纱笼中，让天敌羽化后能飞回自然界。被寄生的枣刺蛾茧的上端有一寄生蜂产卵时留下的小孔，容易识别。

(3)黑光灯诱杀。利用成虫的趋光性，用黑光灯进行诱杀。

(4)药物防治。在幼虫期喷洒青虫菌 800 倍液，或 25% 杀虫星 1 000 倍液，或 25%天幼脲 3 号 2 000～2 500 倍液。

(十)桃天蛾

1. 危害

桃天蛾又名枣天蛾、枣豆虫，属鳞翅目，天蛾科。以幼虫啃食枣叶，常逐枝吃光叶片，仅残留粗脉和叶柄，严重时吃尽全树叶片，还可为害桃、李、杏、苹果、樱桃等。

2. 形态特征

(1)成虫。体长 36～46 mm，翅展 84～120 mm，体翅灰褐色，复眼黑褐色，触角短栉状淡灰褐色，头胸背中央有一深色纵纹。前翅内横线、外横线由三条带组成，三带间

桃天蛾

1.成虫；2.幼虫

色稍淡，近外缘部分黑褐色，边缘波状，近后角处有一黑斑。后翅粉红色，近后角处有两个黑斑。

(2)卵。椭圆形，初产时褐色，光亮，长 1.5 mm。

(3)幼虫。老熟幼虫体长 80 mm 左右，黄绿色，头小，三角形，体表生有黄白色颗粒。胸部两侧有颗粒组成的侧线，腹侧有 7 条黄色斜纹，自各节前缘下侧向后上方斜伸，止于下一体节背侧近后缘，第七腹节者止于尾角。尾角粗长，生于第八腹节背面。气门椭圆形、围气门片黑色。

(4)蛹。长约 45 mm，黑褐色，尾端有短刺。

3. 生活习性及发生规律

在灵宝 1 年发生 2 代，以蛹在 5～10 cm 深的土壤中越冬。翌年 5 月中下旬至 6 月中旬越冬代成虫羽化，有趋光性，多在傍晚以后活动。卵散产于枝干的暗处或枝干裂缝内，有的产在叶片上。每头雌蛾年均产卵 300 粒左右，卵期 7～10 天。第一代幼虫 5 月下旬至 7 月发生，6 月中旬为害最重，6 月下旬开始入土化蛹。7 月上中旬出现第一代成虫。7 月下旬至 8 月上旬第二代幼虫开始危害，9 月上旬幼虫老熟入土化蛹。越冬蛹在树冠周围的土壤中最多。

第二代幼虫中绒茧蜂的寄生率很高，一头幼虫可繁殖数十头绒茧蜂。绒茧蜂的茧在叶片上呈絮状。

4. 防治方法

(1)秋冬季耕刨树下土壤，翻出越冬蛹后予以处理。

(2)危害轻微时，可根据树下虫粪搜寻幼虫。幼虫入土化蛹时地表有较大的孔，两旁泥土松起，可人工挖除老熟幼虫。

(3)发生严重时，可于幼虫期喷洒 90%敌百虫 800～

1 000 倍液。

(十一)枣瘿蚊

1. 危害

枣瘿蚊俗称卷叶蛆、枣叶蛆、枣蛆，属双翅目，瘿蚊科。以幼虫为害大枣的叶片、花蕾和幼果。叶片受害后变为简状，紫红色，质硬而脆，不久就变黑枯萎；花蕾被害后，花萼膨大，不能开放；幼果受蛀后不久变黄脱落。

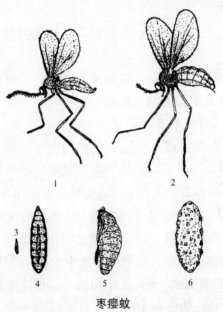

枣瘿蚊

1.雄成虫；2.雌成虫；3.卵；4.幼虫；5.蛹；6.茧

2. 形态特征

(1)成虫。雌成虫体长 1.4～2 mm，前翅透明，椭圆形，翅展 3～4 mm。后翅特化为平衡棒，形似小蚊子。复眼大、黑色、肾形。触角细长，念珠状，黑色，14 节，各节环生密而长的刚毛。胸部色深，后胸显著隆起。足3对，细长。腹部第一至五节背面有红褐色带，腹末产卵器管状。雄成虫外形与雌成虫相似，但腹部小，触角发达，其长度超过体长的一半。

(2)卵。长约0.3 mm，长椭圆形，淡红色，一端稍狭，有光泽。

(3)幼虫。体长1.5~2.9 mm，乳白色，有明显体节，无足，蛆状。

(4)蛹。长1~1.9 mm，纺锤形，初乳白色，后渐变为黄褐色。

(5)茧。长约2 mm，椭圆形，灰白色，胶质，外附土粒，系幼虫分泌黏液缀土而成。

3. 生活习性及发生规律

该虫1年发生5~7代，以老熟幼虫在浅层土壤内结茧越冬，翌年4月中下旬开始羽化为成虫，卵产于刚萌发的枣芽上，成虫寿命2天左右。每头雌成虫产卵40~100粒，卵期3~6天。雌成虫以产卵器刺入未展开的嫩叶空隙中产卵，每嫩叶连续产卵2~3次。幼虫孵化后即吸食叶液，叶片受刺激后两边纵卷，幼虫藏于其中为害，每叶可有2~3头甚至10多头幼虫。5月上中旬的枣吊迅速生长期，嫩叶受害最为严重。幼虫期10天。5月下旬第一代幼虫老熟后从受害卷叶内脱出落地，入土做茧化蛹。为害花蕾的幼虫在花蕾内化蛹，羽化时蛹壳多露在花蕾外面。为害幼果的幼虫在果内化蛹。该虫可为害枣树的不同器官，因而各虫态发生很不整齐，形成世代重叠。老熟的末代幼虫于8月下旬开始入土做茧越冬。

一般情况下，幼树及低矮枣树受害较重。

4. 防治方法

(1)地面施药。要联防联治，大面积统一进行。在第一、二代老熟幼虫入土期，于树干周围 1 m 的地面上，喷洒 50% 辛硫磷乳液 500～600 倍液，喷后浅耙，可杀死入土化蛹的老熟幼虫。

(2)树上喷药。在枣树萌芽而尚未展叶时，喷洒 90% 敌百虫 1 000 倍液，或 50% 马拉硫磷乳剂 1 500 倍液。

(十二)枣豹蠹蛾

1. 危害

枣豹蠹蛾俗称截干虫，属鳞翅目，豹蠹蛾科。主要为害枣和核桃，也可为害苹果、梨、杏、石榴等。以幼虫蛀食枣吊、枣头及 2 年生部分组织。枣枝受害后枯死，遇风易折断，形成"截干"现象，使树冠不能扩大，影响树势和产量。

2. 形态特征

(1)成虫。雌蛾体长 18～25 mm，翅展 32～50 mm，灰白色。触角丝状，灰白色；复眼黑褐色，胸部背面有 3 对蓝黑色斑点，纵向排成 2 行；腹部各节均有蓝黑色斑点。前翅散生大小不等的蓝黑色斑点，后翅局部散生蓝黑色斑点。雄蛾体长 18～23 mm，翅展 29～36 mm，触角基部羽毛状，端半部丝状，黑色被白色短绒毛，其余部分同雌蛾。

(2)卵。椭圆形，长约 1 mm，淡黄色，孵化前为紫色，密布网状纹。

(3)幼虫。初浅褐色，长约 1 mm，后渐变为浅紫红色。老熟幼虫体长 32～40 mm，紫红色，头部黄褐色，前胸背板上有一对子叶形黑色斑。臀板黑色。腹部各节有刺毛 6 根。

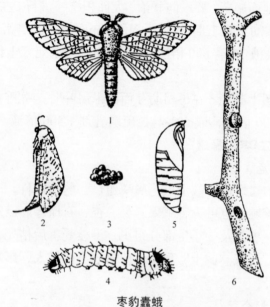

枣豹蠹蛾
1.雄成虫；2.雌成虫；3.卵；4.幼虫；5.蛹；6.被害枝梢

(4)蛹。长 25～28 mm，红褐色，纺锤形，长 20 mm 左右，雌蛹稍大，腹部末端有 6 对臀刺。

3. 生活习性及发生规律

每年发生 1 代，以幼虫在被害枝条内越冬，翌年枣芽萌动时，越冬幼虫开始沿枝条髓部向上蛀食，并向外开有排粪孔排出粪便。6 月上旬幼虫老熟后开始化蛹，蛹期 13～37 天，下旬成虫羽化，7 月中旬为成虫发生盛期。成虫有趋光性，多在夜间活动。卵常数粒产在一起或单产，卵期 9～20 天。初孵幼虫多蛀食枣吊的维管束部分；随虫龄的增长而转移到枣头嫩尖的髓心部分，大龄幼虫则可蛀食枣头基部的髓心木质部分，均是从蛀孔向先端部分蛀食，使蛀孔至端部不久即枯萎死亡，枣吊逐渐萎蔫，枣果脱落。蛀入新梢后，新梢随即枯萎，幼虫又可转梢为害，致使当年生枣头大量被害，被害枝条常在蛀孔处遇风折断。10月以后幼虫即在被害枝内越冬。

4. 防治方法

(1)冬季剪除虫枝，以消灭越冬幼虫。

(2)5～10月，在幼虫蛀食为害期间，经常巡查枣园，发现被害枝梢或枣吊，应及时剪除，集中烧毁。

(3)6月下旬至7月份，利用黑光灯诱杀成虫。

(4)保护和利用天敌资源，如小茧、蚂蚁及鸟类等。

(5)化学防治：对蛀入孔注入80%敌敌畏200倍液，用泥封口。

三、科学施用农药的新技术

随着我国病虫害综合防治技术的发展，除普通喷施等常规用药方法外，近年来一些农药施用的新技术不断得到应用和推广，新施药技术的共同特点是，药效高，用药少，不污染或少污染环境，不伤害或少伤害天敌，是科学使用农药的新成果。

(一)埋施和浇灌施药方法

埋施和浇灌施药方法，主要是将铁灭克、涕灭威和呋喃丹等长效、内吸、广谱的颗粒剂农药，埋施或浇灌在地下植物吸收根最多处，通过植物根系对药液的吸收，将药运输、传导到植物的各个部位，使害虫在取食时中毒死亡，来达到控制其危害的目的。其优点是，由于效果好，能达到兼治的目的，不易伤害天敌，不污染空气，农药用量少，防治成本低；同时，能扬长避短，能合理地利用有毒的化学农药，做到高毒农药低毒化使用。其缺点是，易污染水源和土壤，故使用时应慎重考虑。具体方法如下所述。

1. 埋施

将 15%铁灭克颗粒剂或 3%的呋喃丹颗粒剂等药剂，埋施在距树干 0.5～1.5 m 的植株吸收根最多的地方，可防治蚜虫、红蜘蛛、介壳虫、木虱和蓟马等害虫，以及各种食叶害虫。1 年生至 3 年生树埋施 150 g 左右，4～6 年生树埋施 250 g 左右，7 年生树埋施 500 g 左右，药效可持续两个月。也可将内吸性强的乙酰甲胺有机磷农药稀释 5 倍，装瓶后在树冠下找 0.5 cm 粗的根，将其放入瓶内，封好瓶口，埋在地下，让根系直接吸收药液。此法可在春季于枣园中施用，坐果后尽量少用，收获前 40 天停止使用。

2. 浇灌

结合浇水，在枣树周围浇灌 500～1 000 倍乙酰甲胺、吡虫啉等内吸性杀虫剂药液，可防治各种害虫。它药效期长、防治效果好，是一种扬长避短地利用一些剧毒化学农药的方法，使高毒农药低毒化使用。对枣园此法可在春夏季使用，当枣果开始膨大时及以后，禁止使用。

(二)采用注射施药方法

注射施药方法，主要是利用各种行之有效的手段，将乙酰甲胺磷、吡虫啉等内吸性较强的药液，输送到植物体内，然后经传导运送到植物的各个部位，使害虫取食时中毒死亡。这种方法的优点是，药效期长、防治效果好，能达到兼治的目的,不易伤害天敌,不污染环境(空气、水源、土壤),农药用量少,防治生产成本低;同时,也是扬长避短地合理地利用有毒的化学农药,做到高毒农药低毒化使用。其缺点是,防治工作效率相对较低。具体方法如下。

1. 自流式树干注射法

用这种方法除治害虫,是按照给病人打吊针输液的方式,将药液直接施入树干中,使其随着树干输导组织内水分的流动,将药液传到树木的各部位,收到良好的防虫效果。此方法根据害虫危害特点,采用自流式树干注药方式,具有操作方便、工作效率高、省工省时、应用范围广、用药量少、药效期长、不伤害天敌、不污染环境和地下水资源等优点。此方法进行后,对多种树木害虫防治效果均在85%以上,是防治害虫、保护生态环境比较理想的方式。

采用这种方法的防治对象,主要是刺吸式害虫(如蚜虫叶蝉)、食叶害虫(如枣尺蠖、黄刺蛾)和蛀干害虫(如天牛、枣豹囊蛾)等。农药用量,根据树干及树冠的大小而不同。一般直径 5 cm 的树木,用药量为 5 mL;直径 10 cm 的树木,用药量为 10 mL;直径 30 cm 以上的树木,用药量为 15 mL 左右。具体的用药量,也可结合树冠大小及虫害多少,进行适当调整。施药时,可根据树干高度,用钻或粗钉在树干上打一个夹角为 45°、直径 5~6 mm 的洞,然后将注药管吸满药液,将注射器插入树洞。药液可在 0.5~2 小时自行流尽,并开始见效;药液流入树体的速度与在树干上所扎小孔的直径大小有关,孔小速度慢,孔过大则容易使药液外溢,造成药液浪费和注孔周围发生药害。如果气温在 25℃以上,几小时可见效;24 小时即可使一般害虫得到有效控制，而且此针剂施药时不受天气影响，使用后药效发挥也不受天气变化的影响，一般药效期在 20~30天。使用后，不仅刺吸式害虫、食叶害虫防治效果明显，而且对枝干害虫也有很好的防治效果。

2. 机械注射施药

利用液压、气压等各种注药机械，有效地将乙酰甲胺磷、吡虫啉等内吸性药剂的原液或稀释药液注入枣树体内，从而可有效地防治叶部、枝干部的各种害虫。

(三)涂干施药

对一些喷药困难的高大枣树，可在树干基部刮一个宽15~20 cm 的环带(刮掉死皮接近活皮)，于害虫发生前几天，在环带上涂上乙酰甲胺磷、吡虫啉等内吸性药剂原液或稀释后的药液；或在树干基部绑一个宽 10~15 cm 的易吸水纸带或海绵带，然后将药液滴在纸上或海绵带上，再在纸上或海绵上裹一层塑料布(主要是为了减少药液蒸发)，这样可防治树冠上及树干内的各种害虫及部分病害。此法的优点是，药效期长，防治效果好，不伤害天敌，防治成本低。

四、常用杀菌剂的配制及使用

(一)石硫合剂的作用及配制

1. 石硫合剂预防病虫害的种类

石硫合剂是一种良好的杀虫、杀菌和杀螨剂，它是用硫黄、生石灰和水熬制而成的红棕色透明液体，具有臭鸡蛋味，为强碱性，主要成分是多硫化钙和部分硫代硫酸钙。多用于防治红蜘蛛、枣叶壁虱、木虱、各种芽虫、枣粉蚧、梨圆蚧和大球坚蚧等多种虫害，以及由各种真菌引起的枣锈病、叶斑病等大部分枣病害等，是早春在枣树管理中经常使用的一种廉价农药。

2. 石硫合剂的熬制方法

枣农可以根据自己的需要熬制石硫合剂。所要准备的原料是生石灰、硫黄粉和水，这三种原料的比例是 1∶2∶10。其熬制方法是：先将称好的优质生石灰原料放入铁锅中，加少量的水进行溶解；待其充分溶解后再加水，使之成为糊状石灰乳。将硫黄粉先用少量的水搅和成泥糊状，然后倒入锅内，再加足水量，标出锅中的水位后再烧猛火加热。烧开锅后，一边搅拌，一边文火加热，一边计算时间。对熬制中蒸发减少的水分，及时用热水补足，大约加热 1 小时，当锅内的溶液呈红棕色即停火。若原料质量好，熬煮火候适宜，原液浓度一般在 1.21 ~ 1.26 g/L，用波美度测定仪测定为 25 ~ 30 波美度。

熬制火候与药液浓度有直接关系，欠火或过火都会降低溶液原浓度，可以边熬边测。其方法是：当药液开始变色时，不停地将锅内药液滴在碗内清水中，若药液轻轻滴在水面上后立即四散，说明熬制时间不够；若药点在水面后立即下沉，说明熬过了头，应立即停火；若药液滴到水面后，马上在水面形成一层药膜，既不四处扩散，又不下沉，则说明已到最佳熬制时间，应立即停火出锅。

在药液熬成倒入大缸之前，应先用多层纱布过滤。去除残渣，最后才能得到红棕色的透明原液，再用波美度计测出度数后封缸。为防止药液氧化变稀，可向缸内滴几滴煤油封住液面备用。

3. 正确使用石硫合剂

在枣树各生育期内，防治病虫害，正确使用石硫合剂非常重要。石硫合剂使用的浓度，因季节和枣树的生育期不同而不同。在春季枣树发芽前，一般使用浓度为 3~5 波美度；在枣芽萌动期，一般使用浓度为 1~3 波美度；在展叶期，一般使用浓度为 0.2~0.3 波美度。将石硫合剂由高浓度稀释为低浓度时，可用下面公式计算：

石硫合剂加水量(L)=(原液的波美度数 – 目前使用的波美度数)÷目前使用的波美度数

为了正确使用石硫合剂，一般不用上述公式计算加水量，而是用查表法求得。这样找出的加水量比较可靠。即使是使用上述公式计算出了加水量的数量，一般也需要将它与查表所得出的加水量相对照，并以查表所得数量为主要依据。石硫合剂重量倍数稀释表和石硫合剂容量倍数稀释表见表 10-2、表 10-3。

(二)波尔多液农药的作用及配制

波尔多液是一种凝胶型天蓝色悬浮液。在植物杀菌史上，具有历史长、应用广、药性好和无公害等特点，是枣树栽培中常用的一种保护性杀菌剂。它不仅能够防病，而且兼有提高酶的活性、增加叶绿素含量、加强光合作用等性能，许多特点都是目前杀菌剂所不具备的。

1. 防治病害的种类

波尔多液是枣农、果疏和花卉各种植物常用的保护性杀菌剂，主要预防或防治真菌类病害，同时也对细菌性病害有一定的抑制作用，宜在发病前喷施。在枣树病害防治方面，波尔多液对枣锈病、霜霉病、炭疽病、枣果锈病等有很好的疗效。

表 10-2 石硫合剂重量倍数稀释表

原液浓度(波美度)	需要浓度(波美度)								
	0.1	0.2	0.3	0.4	0.5	1	3	4	5
	重量稀释倍数								
15.0	149.0	74.0	49.0	36.5	29.0	14.0	4.00	2.75	2.0
16.0	159.0	79.0	52.3	39.0	31.0	15.0	4.33	3.00	2.20
17.0	169.0	84.0	55.6	41.5	33.0	16.0	4.66	3.25	2.40
18.0	179.0	89.0	59.0	44.0	35.0	17.0	5.00	3.50	2.60
19.0	189.0	94.0	62.3	46.5	37.0	18.0	5.33	3.75	2.80
20.0	199.0	99.0	65.6	49.0	39.0	19.0	5.66	4.00	3.00
21.0	209.0	104.0	69.0	51.0	41.0	20.0	6.00	4.25	3.20
22.0	219.0	109.0	72.3	54.0	43.0	21.0	6.33	4.50	3.40
23.0	229.0	114.0	75.6	56.5	45.0	22.0	6.66	4.75	3.60
24.0	239.0	119.0	79.0	59.0	47.0	23.0	7.00	5.00	3.80
25.0	249.0	124.0	82.3	61.5	49.0	24.0	7.33	5.25	4.00
26.0	259.0	129.0	85.6	64.0	51.0	25.0	7.66	5.50	4.20
27.0	269.0	134.0	89.0	65.5	53.0	26.0	8.00	5.75	4.40
28.0	279.0	139.0	92.3	69.0	55.0	27.0	8.33	6.00	4.60
29.0	289.0	144.0	95.6	71.5	57.0	28.0	8.66	6.25	4.80
30.0	299.0	149.0	99.0	74.0	59.0	29.0	9.00	6.50	5.00

表 10-3　石硫合剂容量倍数稀释表

原液浓度(波美度)	需要浓度(波美度)								
	0.1	0.2	0.3	0.4	0.5	1	3	4	5
	容量稀释倍数								
15.0	166.2	82.5	54.7	40.7	32.4	15.6	4.46	3.07	2.23
16.0	178.7	88.8	58.8	43.8	34.8	16.9	4.87	3.37	2.47
17.0	191.4	95.2	63.1	47.0	37.4	18.1	5.29	3.68	2.72
18.0	204.4	101.6	67.4	50.2	40.0	19.4	5.71	4.00	2.97
19.0	217.5	108.2	71.7	53.5	42.6	20.7	6.14	4.32	3.22
20.0	230.8	114.8	76.3	56.8	45.2	22.0	6.57	4.64	3.48
21.0	244.4	121.6	80.7	60.2	47.9	23.4	7.02	4.97	3.74
22.0	258.2	128.5	85.3	63.7	50.7	24.8	7.47	5.30	4.01
23.0	272.2	135.5	89.9	67.2	53.5	26.2	7.92	5.65	4.28
24.0	286.4	142.6	96.8	70.7	56.3	27.6	8.39	5.99	4.55
25.0	300.9	149.8	99.5	74.3	59.2	29.0	8.86	6.34	4.83
26.0	315.6	157.2	104.4	78.0	62.1	30.5	9.34	6.70	5.12
27.0	330.6	164.7	109.4	81.7	65.1	32.0	9.83	7.07	5.41
28.0	345.8	172.3	114.4	85.5	68.2	33.5	10.33	7.44	5.70
29.0	361.3	180.0	119.6	89.4	71.3	35.0	10.86	7.81	6.00
30.0	377.0	187.9	124.8	93.3	74.4	36.6	11.35	8.20	6.30

波尔多液的防病作用，主要是在植物表面形成一层保护膜，其膜上密布着一层游离的铜离子。菌体或病原体落在上面后，铜离子可以渗入菌体细胞与酶结合，使细胞失去活性和生命力，因而起到防病的作用。

2. 波尔多液的配制方法

波尔多液使用浓度(配方)有半量式、等量式和倍量式。

所谓的半量式、等量式和倍量式是根据所用的生石灰与硫酸铜的比例而言的，生石灰用量小于硫酸铜的一半为半量式，生石灰用量与硫酸铜相等为等量式，生石灰用量为硫酸铜的倍数为倍量式。因波尔多液防治的对象不同，所使用的浓度(配方)也不一样。在枣树上使用的波尔多液，多用倍量式，硫酸铜、生石灰和水的比例为 1：2：200。

枣农自己配制波尔多液，可采用纯度高的深蓝色块状硫酸铜(或已粉碎成粉的)和新鲜的生石灰。配置时，将生石灰和硫酸铜分别放在两个非金属容器内，用少量热水化开并放凉；再将 1/3 的水放入化开的石灰乳中，将另外的2/3 水放入硫酸铜溶液内；然后将硫酸铜溶液倒入石灰乳液内，一边倒，一边搅拌，使液体呈天蓝色即可。切忌，硫酸铜溶液不得放入铁制容器中，以防止发生化学反应，降低药效。波尔多液不稳定，应该随用随配，存放时间不得超过 24 小时。若用熟石灰，其用时宜增加 30%。

第十一章　枣果的采收与制干

一、枣果的采收

枣果的采收适期，因用途不同，要求枣的成熟度就不同，所以枣的采收期也不一致。根据三门峡市无公害红枣生产采收技术地方标准 DB4112/T112－2004，下面对枣果的采收与制干要求分别作以叙述。

(一)枣的成熟过程

根据枣果的发育过程，枣果的成熟可分为三阶段。

1. 白熟期

果皮退绿，呈绿白色，渐转成乳白色。果实体积和重量不再增加，肉质比较松软，汁少、含糖量低，果皮薄而柔软，煮熟后果肉不易与果皮分离。

2. 脆熟期

白熟以后，果皮自梗洼、果肩开始逐渐着色转红，直到全红。果肉含糖量很快增加，质地变脆，汁液增多，风味增强，肉色仍呈绿色或乳白色。果皮增厚，稍硬，煮熟后易与果肉分离。

3. 完熟期

脆熟期后，果实继续积累养分，果肉含糖量增加，最后果柄与果实连接的一端开始变黄，继而自由脱落。果肉颜色由绿转为白色，在近核处呈黄褐色，质地从近核处逐渐向外变软，含水量下降。

(二)枣果的采收适期

根据大枣加工用途的不同，采收的适期也不同。灵宝大枣用于蜜枣加工，宜在白熟期(8月下旬)采收。此时，果实已充分发育，果形已基本固定，果肉容易吸糖，加工的蜜枣色泽好，半透明，品质佳。用于鲜食品加工的酒枣，宜在脆熟期(9月上中旬)采收。此时，枣果已充分成熟，色泽艳丽，肉质鲜脆，含糖量高，口感好，维生素C含量高。用于制干宜在完熟期(9月中下旬)采收。此时，枣果已完全成熟，色泽好，果形饱满，干物质多，容易晾晒，制干率高，含糖量亦高，等级枣多，品质好。目前，有的枣农对采收时期认识不足，用于制干的枣果采收偏早(9月上旬)，制干后造成枣果色泽浅，果面皱纹多，干物质积累少，制干率低，果形不饱满，含糖量不高，品质降低，而且采收费时、费工、费力，对枝、叶、果实损伤严重，枣果含水量多，晾晒和烘干时间长，并易发生腐烂现象，使经济效益受到较大影响。殊不知，从脆熟期至完熟期，恰是枣果营养物质积累高潮时期，虽说只有十多天，可各种营养成分含量悬殊很大，品质差异很大。因此，枣农要充分认识到早采收对枣果品质的危害，只有达到完熟后采收，才能真正体现出灵宝大枣果实的优良特性，才能取得较高的经济价值。

(三)枣果的采收方法

1. 分期采摘法

由于枣树开花坐果期不整齐，因而果实成熟期也不一致，而不同用途的枣果要求不同的成熟度，这就需要按枣果的成熟度的要求进行分期人工采摘。摘取已熟的枣果作鲜食、制干用；半红的枣果可加工酒枣；选那些开始变红、个大、无病虫害的枣果作加工蜜枣之用。

2. 钩杆摇振法

枣区采收枣果多采用钩杆摇振的方法，将枣果摇落在地面，而后再捡拾收集。这种方法能一次性将枣果采收完毕，但因枣果的成熟度不一致，使枣果品质不一致。应注意的是，在采收前要将树冠下表土疏松，以免枣果落地损伤。

3. 乙烯利催熟法

在采收前 5~6 天，对树冠均匀喷洒 250~300 mg/L 浓度的乙烯利溶液，喷后释放出乙烯，使果梗的离层组织解体，枣果容易脱落。一般喷后第二天即可见效，第三天至第四天进入落果高峰，第五天至第六天成熟的枣果可基本脱落。少数留在树上未脱落的枣果，可摇动树枝或用杆击落。采用乙烯利催落采收，可提高劳动效率，减轻打枣劳动强度，节省用工投资，避免枝、叶、果实损伤，减少枣果晾晒期间的腐烂损失，提高枣果质量。

二、枣果制干和分级

灵宝大枣是一个制干品种，其制干方法可为晾晒法和烘干法两种。依据三门峡市无公害红枣生产干制技术地方标准 DB4112/T113—2004 的有关规定，将灵宝大枣的制干和分级方法简述如下。

(一)枣果清洗

枣果在采收时，往往在地面上捡拾收集，而枣园地面上的尘土或脏物附着在枣果表面，不经清洗而直接制干，既不卫生，也影响枣果的光泽，对人体健康和销售均不利，因此在制干前将枣果进行清洗是一个重要环节。其方法是：选一大口容器(如大口锅、塑料大盆或铁制大盆、瓷盆等)，倒入清水，清水质量要符合无公害食品用水标准，而后将枣果置入水中用笊篱搅拌清洗，并除去漂浮杂物，清洗后捞出沥干水分，注意清水要勤换。另一方法是：将枣果放在竹筛中，将软塑料管接在水龙头上直接冲洗，沥干水分。

(二)制干

枣果的制干，就是在一定温度中，通过人工操作将枣果细胞内大部分水分脱去，并不得破坏枣果中的营养成分，保持原有品质，供长期贮存和食用。其制干方法可分为晾晒法和烘干法两种。

1. 晾晒法

晾晒法是一种传统的制干方法。在院内、屋顶或开阔场地，把清洗后的枣果摊放在用竹竿、芦苇或高粱秆制作的箔子上。箔子下面，在距地面 30～50 cm 高处，做一支架，以利通风。白天，将枣果摊开晾晒，利用自然光能脱水干燥。夜间和阴雨天，把枣果堆积，用塑料布和苇席封盖，以防受潮或雨淋。晾晒期间，每天翻动 3～4 次，以使枣果干燥均匀。完熟后采收的枣果，在天气正常情况下，一般晾晒 30 多天，即可达到干枣标准要求(枣果含水量20%以下)。

晾晒法制干的缺点是：依赖大自然，受自然条件制约，晾晒期间若遇阴雨天气，则干制时间延长，易造成枣果腐烂而损失。同时，这种晾晒干制方式，易受风沙污染，产品质量难以保证；而且晾晒费工、费时，投入劳力多，制干成本高。

2. 烘干法

烘干法是进入 20 世纪 80 年代枣农普遍采用的一种制干方法。利用热力学原理，将枣果置于烘炕房中，在一定温度范围内，经过 28～30 小时的烘炕，将枣果中的水分脱干的一种方法。

1)烘干法的优点

与自然晾晒干制相比，烘干法有以下几个优点：

(1)减少枣果的霉烂损失。在枣果成熟后晾晒季节，如遇阴雨连绵天气，常常造成严重裂果腐烂损失。而采用烘干法，不受自然条件制约，减少了损失。

(2)提高干制红枣等级。枣果采收后，及时进行烘干，减少了腐烂，避免了污染。烘干的枣果干净卫生，经过挑选分级，个头均匀，等级提高。

(3)提高红枣的商品价值。烘干的枣，颜色深红，具有光泽，果形饱满，干净卫生。经过分析化验，烘干的枣比自然晾晒干的枣，在含水一致的情况下，含酸量和总糖含量基本一致，但烘干的枣维生素 C 含量一般较高。这是因为枣果在自然晾晒过程中，维生素 C 受到空气氧化和紫外线的破坏，损失较大；而烘干的枣虽因高温对维生素 C 有一定破坏，但时间较短，维生素 C 损失相对较少。烘干的枣比自然晾晒干的干枣单糖含量高，吃起来味甜。这是因为，烘干时的高温，使双糖转化为单糖，而单糖的甜度高于双糖。

(4)减少病虫害传播。枣果在烘干过程中，由于高温具有杀菌杀虫作用，即使枣果上带有病菌，经过高温也会将病菌杀死。如枣果中有桃小食心虫，在烘干过程中，也会爬出果外受热致死。

(5)省工省时，节省投资。枣果自然晾晒干制，一般需30多天。晾晒时，地面或屋顶要支架，降雨天和每天夜间要用塑料布覆盖防雨防潮，白天日出又要把覆盖物揭开，每天要翻动枣果，并且要挑拣、剔除烂果，时间较长，用工较多，劳动强度大。而烘烤制干，28~30小时即可达到干枣标准，时间短，用工少，成本较低，节省投资。一般烘烤干制，每千克干枣用煤0.5~1 kg，除去用工和烧煤成本，烘烤每千克干枣可节约资金1~1.5元。

2)烘干法的实施

(1)烘炕房建造。炕房的大小根据生产规模而定，一般在一间或两间平房中进行。墙体采取砖制结构，炕门与普通门大小一样。门的制作要严密，里层衬塑料布，中间加保温材料或用棉帘加塑料布。炕房的上下各留一活动小翻窗，以便通气排湿。炕房的任意一侧，安一活动玻璃窗，在窗附近挂一干湿球温度计，以便观察炕房内枣及温湿度的变化情况。

(2)火道设置。根据灵宝枣区群众的使用情况，在烘炕过程中，常采用明火和暗火两种方式。所谓的明火，就是将煤火炉直接放在炕房内进行烘炕。这种烘炕形式简单，但在烘炕过程中操作不便。所谓的暗火，就是在炕房内设有直笼式火道，火道材料为直径30 cm的陶瓷管或用砖砌成宽40 cm、高30 cm、长视炕房而定的火道，一般火道沿墙体四周设置。炉膛设在炕房外的山墙或面墙前，要低于地面，炉膛上口与火道相接。烟囱设在炉膛对面的山墙或背墙中，横截面为下宽上窄，伸出房顶。

(3)炕架制作。炕架用木材料制作，架柜宽 1 m、高 2 m、长 1.5～2 m，架两侧穿上竹竿，竹竿直径 6～8 cm，备放枣盘。炕架第一层距地面 50～60 cm，往上层间距 15～18 cm，可放 9～10 层。炕架放在炕房两侧，中间留一过道。

(4)枣盘制作。枣盘用桐木制作而成，宽 50 cm，长 100 cm，高 8～10 cm，盘底用竹板作成。

(5)装枣厚度。装鲜枣 5 cm 左右，一般每盘出干枣 5 kg 左右。

(6)分级入炕。炕房用火若为火道，则炕房温度下部较高；若为明火，则炕房温度上部较高，所以枣果入炕时，应将大枣果放在温度较高处。

(7)温度调控。烘炕燃料用煤或焦碳，整个烘炕过程可分为 3 个阶段：①升温受热阶段，点火后，由常温逐渐升至 50～55℃，保持 4～6 小时。温度过高枣果表面易形成硬壳，破坏了果肉中水分向外排放的通道，易形成焖枣。②恒温排湿阶段，需大火，炕温保持在 65～70℃，温度超过 70℃易形成焦枣，烘炕 18～20 个小时。③干制阶段，烘炕 24 小时后，变为文火，温度逐渐下降，保持 50～55℃，需 4～6 个小时。此阶段全部打开排湿孔和进气孔，使枣果中水分迅速排出。

(8)湿度调控。在恒温排湿阶段，是大枣制干过程中的主要阶段，既要保持炕房内的温度(65～70℃)，又要注意炕房内湿度，防止出现焦枣。当炕房内干湿球温度计之差小于 5℃或相对湿度大于 70%时，就要打开气窗排湿和进气孔通气；当炕房内温度上升至 65℃以上相对湿度大于70%仍不排湿，就会出现焦枣。当炕房内干湿球温度差达10～20℃或相对湿度低于40%时停止排湿。

(9)翻枣。由于炕房内的温度，水平差异小，垂直差异大，在烘炕过程中，为保持枣果受热均匀，应把上下枣盘进行倒换 2～3 次，并不断翻动枣果，使其受热均匀。

(10)出炕。待烘炕 28 个小时左右,枣果基本发软变熟:①表面有皱褶；②手抓枣果摇动有响声；③掰开枣果有丝，制干基本完成。温度降到50℃时即可出炕，出炕时枣的含水量为30%左右。

(11)阴干。由于出炕后的枣果仍含有一定水分，应及时进行敞开阴干，大忌曝晒，使枣果含水量达到 20%以下，为成品枣。

(三)分级

灵宝大枣个头较均匀，按照枣区群众的分级习惯，将干枣分为 4 个等级。根据河南省灵宝市农业地方标准DB411282/T001－2004，灵宝大枣生产质量技术规范，具体规格及质量标准见表 11-1。

三、灵宝大枣的包装与贮藏

灵宝大枣在制干分级后，要进行包装与贮藏。包装物可选用纸箱、无毒塑料袋、尼龙袋等。选用纸箱包装，每箱装量为 10～15 kg；选用无毒塑料袋或尼龙袋，装枣后扎紧袋口。贮藏地点选在冷凉、干燥、通风和干净的库房贮藏。贮藏时，在地面上支架，将包装好的纸箱、塑料袋或尼龙袋放在架上。如果贮量少，可采用缸贮藏。贮藏前，将缸用高度白酒杀菌处理，然后把干枣放入缸内，上面放少许白酒，再用木板或石板封盖缸口。也有的枣农在阴凉、干燥、通风、干净的房间地板上铺上塑料布，将制干后的枣果堆放在上面，再用塑料布封盖，这种方法有利于枣果的阴干。不论采用哪一种贮藏方法，都要注意防止霉烂和被老鼠为害。

表 11-1　灵宝大枣生产规格及质量标准

等级	直径 (mm)	果形和 个头	品　质	损伤和缺点	含水率 (%)
一等 (毛头枣)	36 以上	果实圆屯形，饱满，个大均匀	果皮薄，色深红，有皱纹，弹性好，肉质肥厚，味甘甜。身干，手握不粘个。杂质不超过 0.5%	无霉烂、浆头，无不熟果，无病果、虫果，破头不超过 2%	不高于 20
二等 (泡枣)	32 ~ 35	果实圆屯形，饱满，个大均匀	果皮薄，色深红，有皱纹，弹性好，肉质肥厚，味甘甜。身干，手握不粘个。杂质不超过 0.5%	无霉烂、浆头，无不熟果，无病果、虫果，破头不超过 4%	不高于 20
三等 (大枣)	26 ~ 31	果实圆屯形，饱满，个头均匀	果皮薄，色深红，有皱纹，弹性好，肉质肥厚，味甘甜。身干，手握不粘个。杂质不超过 0.5%	无霉烂、浆头，无不熟果，无病果、虫果，破头不超过 6%	不高于 20
四等 (匀枣)	20 左右	果实圆屯形，饱满	果皮薄，色深红，有皱纹，弹性好，肉质肥厚，味甘甜。身干，手握不粘个。杂质不超过 0.5%	无霉烂、浆头，无不熟果，无病果、虫果，破头不超过 8%	不高于 20

第十二章　枣果的加工

枣果除鲜食、生食外，还可加工成各类产品，下面介绍几种枣产品的加工制作方法，供生产者参考。

一、乌枣的加工

乌枣是山东茌平、聊城一带传统的枣果制干品。乌枣乌紫明亮，纹花细致，肉质柔软细密，味美，有熟枣香气，别具风味。

(一)工艺流程

乌枣加工的工艺流程为：红枣→分级→清洗→预煮→冷浸→筛纹→烘烤。

(二)设备

1. 熏窑

熏窑是烘烤乌枣的主要设备，为半地下式隧道形的火炕，一般设在敞棚内或室内。窑长 6~8 m，宽 2.5~3.0 m。中下部挖入地下 1 m，宽 0.9 m。挖出的土堆在四周高出地面约 0.5 m，作为窑体的上部，总高度 1.45~1.5 m。窑体下部垂直，垂直部分深 0.4~0.5 m。中上部为斜坡，利于火焰扩散。窑顶架设檩梁，铺放秫秸箔一层。箔帘四周围一圈挡板或秫秸把，防枣滚落炕面。窑体一侧挖设窑洞 2~3 个，供人进窑烧火。火堆(或火炉)设置在窑洞两边的隧道里，每窑 4~6 堆(炉)，间距 2 m，每堆(炉)控制 2 m 长窑面的温度。用炉烧煤时，炉上放置一块 0.6 m 见方的铁板，起匀温作用。每平方米窑面载枣 75～90 kg，6 m 长两个窑洞的中窑，每次可载枣 1 100～1 600 kg。

2. 燎枣锅炉

燎枣锅是预煮鲜枣的铁锅，枣在锅内容易翻动。炉子构造同一般风灶，火力强，容易控制。为便于操作，炉体可砌成地下式的。

3. 晃筛

晃筛为长方形木框大筛，支在架上，可以上下筛动。晃筛有分级筛和滤水筛两种。分级筛由粗网筛、细网筛和筛底组成，一端各有一个开口，工作时可把开口错开，上下插合成一体。鲜枣上筛筛动，大、中、小分别留在粗筛、细筛和筛底中，一次性分成多级，工效较高。滤水筛筛底用粗铁丝编成，燎好的半熟枣在筛上滚动，可以增加细纹，改进外形。

4. 笊篱

笊篱为燎枣工具，笊面直径 0.4～0.5 m，柄长 0.8～1 m，便于双手操作。

(三)加工技术要点

1. 原料的选择和采收

熏制乌枣的原料以果形大而圆、肉厚质细、汁少、干物质多、皮色深红或紫红的品种最好。原料枣成熟度直接影响成品产量和品质，因此按照加工要求适期采收是一个重要环节。最适宜的采收期是果皮完全转红，无白绿斑块的脆熟期。

2. 分级清洁

分级清洗用分级筛按枣果的大小分成大、中、小3级，以便分别预煮和熏烤，控制火候，同时拣出未全红的青头、破烂枣和虫果。分级后的枣倒入清水缸中漂洗，除去果面泥污，增加成品光泽。

3. 预煮

预煮也称燎枣、杀青，即将洗净的鲜枣倒入沸水锅中，急煮5~8分钟，软化果皮，使果内水分在烘烤中容易外渗，加快干燥过程。预煮时火力要猛，枣入锅后即加盖，迅速提高水温，煮沸后揭去锅盖，稍加冷水，用木把上下搅拌，使枣上下翻动，预煮均匀。待再沸时，可用手指试捏枣，若果肉变软，即用笊篱迅速捞出，用冷水漂浸。

4. 冷浸

经过预煮的枣要趁热投入冷水缸中，冷浸5~8分钟，见果皮起皱，再上筛滤水筛纹。冷浸水温保持在40~50℃。

5. 筛纹晾坯

冷浸后的枣，在滤水筛中晃动5~6分钟，滤去积水，果面经筛面压挤，增添细小皱纹。经过预煮、冷浸、筛纹的枣，叫做枣坯。

6. 烘烤

枣坯每次上窑烘烤都经过受热、蒸发、匀湿3个阶段。受热阶段，时间为1~2小时，枣坯由冷渐热。开始时枣坯温度低，从窑炕上来的热空气遇冷在果面凝露，出现"发汗"现象，随着枣坯温度增加，凝露逐渐消失，这一阶段火力宜小宜稳，炕面温度应控制在50℃左右，使枣坯受热均匀，防止火力过猛，下层枣坯结壳焦煳。

果面凝聚的水汽消失以后，箔面保持 65～70℃(手贴箔面有灼烫感觉)，使水分加快蒸散，蒸发阶段维持 5～6 小时。匀湿阶段，土窑结构简单，保温较差，高温烘烤 5～6 小时后，枣坯外干内湿，上下层差异很大，需要停火，中止烘烤 5～6 小时，使内层水分逐渐外渗，达到里外平衡，再行烘烤，这就是匀湿阶段。匀湿时，上下仔细轻翻一遍，即从炕面一端取下约 0.5 m 宽的一端枣坯，上下两层分别搁置一边，腾出空位，然后将上层的枣翻到下层，下层的枣翻到上层，最后把第一段取下的枣上下对换，填入空位。翻好后再次生火烘烤第二遍。第二遍熄火后，待枣稍凉，即全部下炕，平摊于露天箔上作第二次匀湿，炕上随即上第二批枣坯烘烤。枣坯烘烤成成品，按大小等级，需如此上炕 2～4 次，烘烤 4～8 遍。第四遍烘烤结束下炕后，在匀湿期间进行第二次挑选，拣出破皮烂枣和混杂其中已经烤成的小果。最后一遍烘烤到肉质硬度里外一致、稍有弹性而不沾手、含水量降到 23%时，即达成品要求，可以熄火全部下炕。

(四)注意事项

(1)熏窑建设要规范，便于操作。

(2)加工工具要备齐全。

(3)要在枣果脆熟期采收。

(4)烘烤过程中，注意 3 个阶段的技术要点。

(五)质量标准

(1)熏烤出来的成品枣果乌黑、晶凝、发亮。

(2)具有枣香味，无其他异味。

(3)符合国家食品安全卫生标准。

二、南枣的加工

南枣加工方法是浙江义乌枣区适应南方多雨的气候条件创造的烘烤和日晒相结合的干制法。南枣品质优良，外形紫黑油亮，纹理细致，与乌枣十分相似，也是重要的出口干制品种。

(一)工艺流程

南枣加工的工艺流程为：红枣→烫红→熟煮→晾晒→烘烤。

(二)加工技术要点

1. 原料选择

加工南枣的原料和乌枣一样，要求果大肉厚、质地致密、出干率高的品种。原料枣的采收也以全红脆熟期为适期。

2. 烫红

鲜枣经过分级挑选，果皮全红的可以直接进行"熟煮"，未全红的需要经过"烫红"处理，催红后再熟煮。烫红处理，即将未完全转红的鲜枣投入将沸而未沸的热水锅中，稍经片刻，未红的皮色转呈深黄色后随即捞起，倒入筐中，覆盖草席保温 2 小时，再铺放枣床上晾晒半天左右，等皮色稍转红色而有皱纹时，即可收起进行熟煮。烫煮时，为便于掌握火候，鲜枣应放在小竹筐中入锅浸烫，每次量宜少。

3. 熟煮

熟煮的作用和乌枣加工工序中的预煮相同，主要是杀死果肉细胞组织和酵素，使成品质地致密，富有韧性。其方法是：将分级后的全红或烫红原料枣倒入开水锅中，加盖，经常翻搅。12~15分钟后，揭开锅盖检查，枣是否沉底，未煮透的枣是浮的；用手揉搓枣面是否出现多而深的皱纹；用手指试捏，果肉是否变软，有似乎捏到核的感觉。

4. 烘烤晾晒干燥

熟煮好的枣可捞出铺放在枣床上烘烤晾晒干燥。枣床为长方形的大烤盘，以竹木制成，长2.7 m、宽1.3 m，每个可铺放湿枣坯 50 kg。枣坯先晒一天，再置烘灶上烘烤1.5~2 小时，以后再如此晾晒烘烤一次。如天气晴朗，烘烤二次后不再烘烤，晾晒十多天，使之干燥即成。如遇阴雨，则要反复烘烤到干燥为止。

(三)注意事项

(1)枣果在脆熟期采收。

(2)熟煮过程中把握好时间和程度。

(3)在烘烤时要每隔 15 分钟左右，用木耙翻动一次枣果，防止烘焦。

(四)质量要求

(1)成品枣果紫黑油亮。

(2)枣香味浓，无其他异味。

(3)符合国家食品安全卫生标准。

三、蜜枣的加工

蜜枣是枣的糖渍干制珍品，起源于安徽歙县，有近 200 年的历史。现在已传播到我国南北方很多枣区，并且已形成质地和风味各具特色的多种加工产品。制作蜜枣的品种要求果大，果面平整，皮薄核小、含水量低，肉质比较松软。原料枣白熟期为采收适期。一般多分期采收，加工前按果实大小细致分级，以便于加工，并使成品质量一致。

(一)工艺流程

蜜枣加工的工艺流程为：红枣→切纹→浸硫→水煮→漂洗→糖煮→初烘→整形→回烘→包装与贮藏。

(二)加工技术要点

1. 切纹

用快刀或尖针在果面切芽密集而整齐的纵纹，纹距和深度各有 2 mm 左右，每果切划 60～100 条，使糖分易于渗入。现已试制成管状切纹器，即在长 5 cm 的铁管中，按切纹间距安装 30～50 张刀片，使用时，将枣一个一个地通过刀管，枣上就被均匀地刻下刀纹。

2. 浸硫

浸硫即将切纹后的枣，浸泡在 0.1%亚硫酸钠水液中，破坏果内的酵素，防止褐变，增进成品色泽，并保护维生素 C 等容易氧化的营养成分不致被破坏。

3. 水煮

水煮即将切纹后的枣坯倒入开水锅中，用小火保持开锅状态，煮 1.5～2 小时，使枣坯排胶、除糖、吸水。煮枣坯时要不断除去水面的泡沫。煮时火力不能过急，防止把枣坯煮破煮烂。

4. 漂洗

切纹后的枣坯用清水洗净滤干，即可浸硫、水煮。水煮后的桂式蜜枣枣坯需要用流水漂洗 0.5～1 小时，充分洗除胶汁。

5. 糖煮

糖选用纯洁的白砂糖为最好。制作京式蜜枣的糖液，还需加入适量的浓度为 0.1%的亚硫酸钠和柠檬酸，以减少维生素 C 等在糖煮烘烤时氧化损失，促使烘烤干燥后的成品晶亮透明，糖分不会反砂结晶。

桂式蜜枣采用一次糖煮，全过程历时 1.5～2 小时，历经排水、渗糖、浓缩三个阶段。第一阶段将水煮漂净的枣坯用 30 波美度的糖液猛煮 20 分钟。第二阶段历时 50～60 分钟。减小火力，使锅内保持缓滚状态，并逐步增添稀糖液，保持锅内糖液 34～36 波美度的浓度，使果肉组织平缓地渗糖排水，不发生焦枣煳锅。第三阶段历时半小时左右，再次减小火力，使锅内保持微滚状态，停止补充糖液，锅内糖液逐渐浓缩到 38～40 波美度时，即可出锅冷却整形。

京式和徽式蜜枣多用两次糖煮法。第一次用 15～18波美度 30%～36%糖液保持开锅剧滚状态煮半小时，促使枣坯排水渗糖。煮后在同样浓度的糖液中冷浸渗糖 24 小时。然后再以 28～30 波美度 55%～60%糖液，用小火保持缓滚状态回煮 20～30 分钟，以提高枣坯糖分。

6. 初烘

初烘也称小烘。即以 65～68℃温度通风烘烤一昼夜，以降低枣坯水分，使果面干燥不粘手，果肉韧性增强，适于整形。

7. 整形

按传统习惯将枣坯压捏成扁薄而不露核的形状，而且捏后，果肉组织产生许多裂隙，枣坯内部的水分容易扩散蒸发，便于烘烤干燥，京式和徽式蜜枣都压捏成周缘完整无裂口的扁圆形。桂式蜜枣糖煮终点浓度较高，冷却后即可成形，压捏成底部平整、中间凹下、两端矗起的马鞍形。为防止下榻变形，桂式蜜枣枣坯压捏成形后要头尾相接紧排于烤盘中，烘晒干燥。

8. 回烘

整形后的枣坯继续以 65～85℃温度通风烘烤一昼夜左右，即完成全部加工程序。晴朗的天气，也可晒干。

9. 包装与贮藏

回烘的蜜枣冷却后，即可进行包装。包装物采用无毒塑料袋装袋后，放入质量较好的纸箱中，整个包装过程必须严格按照食品安全卫生指标要求操作。然后将装好的蜜枣置于冷凉、干燥、通风、干净、无鼠害和无异味的库房贮藏。

(三)注意事项

(1)枣果在白熟期采收。

(2)浸硫用的亚硫酸钠浓度不得超标。

(3)糖煮的时间和糖液浓度质量要把握准确。

(四)质量标准

(1)成品蜜枣晶凝发亮，含水量在17%以下，不粘个。

(2)符合国家食品安全卫生标准。

四、酒枣的加工

酒枣，也称醉枣，是我国北方枣区传统的一种枣果酒制加工产品。酒枣加工方法简单，食时酒香味浓，口感独特，因而颇受消费者的欢迎。

(一)工艺流程

酒枣的加工工艺流程为：红枣→分级→清洗→酒制→

贮藏。

(二)加工技术要点

1. 枣品种的选择

加工酒枣的枣果品种，要求果体较大，果形端正，果面光滑，大小均匀，皮薄肉厚，色泽鲜红或深红，肉质酥脆，甜酸适口。适宜加工酒枣的品种，有灵宝大枣、骏枣、壶瓶枣、赞皇大枣和赞新大枣等。加工酒枣的枣果，宜在果实全部着色的脆熟期采收，并且要人工采摘，避免带伤。为采摘方便，酒枣专用品种，宜进行矮密栽培，树高一般应控制在 3 m 以下。

2. 挑选和分级

枣果采收后，将其装入果箱(纸箱或塑料箱等)。在装卸和运输途中，要注意轻拿轻放，轻装轻卸，尽量避免枣果受损伤。采摘的枣果，要进行挑选，把有病虫害、果面带伤、色泽较浅与有裂缝的枣果挑出，然后按大小分级，以提高成品的质量。

3. 清洗

将挑选和分级后的枣果，用清水洗净，捞出后放入竹筛，晾干果面浮水后备用。

4. 酒制

将经过清洗晾干的枣果，放在 50°以上的高度白酒中蘸一下，再轻轻装入容器中密封。1 个月后，即可食用。其用酒量为枣果重量的 2%左右。装酒枣的容器，视枣量多少而异，数量少时可用玻璃瓶、瓷坛和瓷罐，数量多时可用瓷缸。为便于操作和运输，商业性酒枣加工多用无毒聚乙烯或聚氯乙烯塑料袋装载。酒制时，把枣果装入袋内，按比例加入白酒，用手搅混均匀后将袋口密封，再装入纸箱。每袋容量不等，但最多不应超过 10 kg。为便于销售，可装成 0.5～1 kg 的小包装。枣果装满小塑料袋后，滴入少量白酒，不需用手搅混，即可密封装箱，贮藏待销。

5. 贮藏

贮藏酒枣，要求将装有酒枣的玻璃瓶、瓷坛、瓷罐或密封的塑料袋放在阴凉、干燥、卫生的场所，一般贮藏 5～6 个月。贮藏 1 个月后，即可随时食用和销售。

(三)注意事项

(1)枣果必须在完全脆熟时采收，果面未全红的不要。

(2)挑选的枣果必须轻拿轻放，防止弄伤果皮。

(3)酒制后的枣果放在容器中，必须密封。

五、玉枣的加工

玉枣，是改进传统枣脯类加工工艺，集中许多果脯类加工工艺优点的一种新的枣果糖制品。由山西农业大学食品科学系研制而成，1984 年通过省级技术鉴定，1985 年获农牧渔业部科技进步奖。

(一)玉枣加工的优点

玉枣与传统的蜜枣产品相比，有如下特点：

(1)加工设备简单。在蜜枣加工设备的基础上，添置部分设备，就可以从事玉枣的生产；不需增加大型设备，玉枣既可进行高标准机械化生产，也可进行简易生产。

(2)加工期长。加工蜜枣，以白熟期枣果为原料，枣果一经着色就不适合使用了，加工期较短。而加工玉枣，其原料为半红至全红的枣果，加工期比蜜枣延长20天以上。

(3)产品无硫。加工蜜枣的枣果，划丝后果皮易变色，使产品颜色加深，因而需进行硫处理。而制作玉枣，脱去枣皮以后，果肉在短时间内不易变色，不需采用硫作护色处理，因而为无硫产品。

(4)风味独特。加工玉枣的枣果，成熟度高，品种特性基本体现，因而加工的玉枣，色泽好，香味浓，而且无皮、无核，食用方便。

(二)工艺流程

玉枣的加工工艺流程为：原料→挑选→分级→碱液去皮→去核→糖渍→烘烤→回软→分级→包装→成品。

(三)加工技术要点

1. 原料要求

所用原料，以选用全红或半红的枣果为好。以果实较大，肉厚、核小、果形端正的大、中果型品种为好。小果型加工费工，成品不美观，最好不用。枣果采收后，要进行挑选和分级，并剔除病、虫、伤果。枣果挑选分级后，用清水洗干净，捞出后沥干浮水。

2. 碱液脱皮

用浓度为8%~9%的氢氧化钠溶液脱皮。碱液保持沸腾，维持1~3分钟。待皮肉能分离时迅速捞出，用冷水冲洗，并筛脱果皮，将果面上残留的碱液洗净。用碱液脱皮，时间短，工效高，煮枣时容易渗糖，脱皮后表面光滑，果肉颜色黄白，美观，口感好。

3. 去核

将脱皮后捞出沥干浮水的枣果，用手工工具或去核机去核。枣果去核后，不仅食用方便，而且煮枣时容易渗糖，同时加快了烘烤速度，缩短了烘烤时间，节省了烘烤燃料消耗，并为枣核的合理利用，提供了可能性。

4. 煮枣

要用砂糖液煮枣。开始煮制时，糖液浓度为 30% ~ 40%。在煮制过程中，要逐渐加糖。煮制时间为 1 个小时左右。当枣果有八九成透明、糖液浓度达到 50% ~ 60% 时，即可出锅，放在缸内，用煮制过的糖液浸泡 12 ~ 15 个小时。然后捞出枣果，沥干糖液，以备烘烤。玉枣用低糖液煮制，基本符合目前国际上对果脯低糖的要求，并具有较浓的枣香味。

5. 烘烤

将煮制后沥干糖液的枣果，装入烤盘，放在烤房架上烘烤。烘烤初期，温度控制在 60 ~ 70℃，最高不超过 75℃。后期温度，控制在 55 ~ 60℃，最低不低于 50℃。烘烤时间为 18 ~ 25 个小时。烘烤后，将枣果回潮半天至一天。烘烤期间，要调节好温度，后期温度应控制在 50℃ 左右，并注意进行排湿。

6. 拌粉

烘烤后的枣果，要拌葡萄糖与柠檬酸粉，葡萄糖与柠檬酸的比例为 20∶1。拌粉后风干半天，即可包装和贮藏。包装和贮藏方法，可参照蜜枣的方法实施。

玉枣拌粉后，具有独特风味，甜酸适度，甜而不腻，并有枣香味。玉枣还原糖含量较低，外裹糖粉，可防止其因蔗糖返砂结晶而影响成品的外观。玉枣成品含水量为 13%~17%，总糖含量为 65%~72%，没有有害物质，符合国家食品卫生标准。

(四)注意事项

(1)枣果在白熟期采收。

(2)所用的碱液浓度不得超标，且需用清水冲洗干净。

(3)注意煮枣时的糖液浓度。

(五)质量标准

(1)成品枣透明，有枣香味，甜酸适度。

(2)成品含水量为 13%~17%，总含糖量为 65%~72%。

(3)符合国家食品安全卫生标准。

六、枣泥的加工

(一)工艺流程

枣泥的加工工艺流程为：红枣(干枣)→清洗→浸泡→软化→打浆→装盘→烘干→包装→杀菌→冷却。

(二)加工技术要点

1. 选料

加工枣泥的原料为干枣。选料时，要把霉烂、破裂、杂质和病虫害枣果剔除。

2. 清洗与浸泡

用流动清水将枣果表面泥土和杂质清洗干净，然后把洗净的枣果放在清水中浸泡 12 个小时。

3. 软化

将浸泡干枣 100 kg，加水 50 L，放在夹层锅中加盖焖煮 1~2 个小时，中间翻动几次，至枣果软烂、用手搓果肉易分离时为止。

4. 打浆

用孔径 0.2 mm 或 0.5 mm 打浆机打浆。打浆后，用尼龙网滤去枣皮。

5. 配料与浓缩

所用配料为枣泥浆 30 kg、砂糖 20 kg、琼脂 0.2 kg。先将砂糖配成浓度为 75% 的糖液，并加以过滤；再将琼脂兑 10 倍水加热，溶解后过滤；然后，按配比放入夹层锅中，在蒸汽压为 245～294 kPa 的条件下，搅拌加热，浓缩至可溶性固形物含量 40% 左右时，停汽出锅，装入衬有无毒塑料薄膜的浅盘中，厚度为 2～3 cm。

6. 烘干

把装有枣泥浆的烤盘，放于烤房架上烘烤，温度控制在 100～105℃，烘干至可溶性固形物含量为 50% 左右时，取出烤盘。

7. 包装与封口

把烤盘中的枣泥，用无毒塑料袋包装好，装入规格为 13 cm×17 cm 的两层复合蒸煮袋中，用封口机或手工进行封口。封口要严密。

8. 杀菌

把封好口的装有枣泥的蒸煮袋，放入夹层锅中，加水淹没，上压重物，防止漂浮；然后加热杀菌，在沸水中持续 10 分钟。

9. 冷却

把杀过菌的枣泥蒸煮袋，放到流动冷水中，冷却到 38℃以下，即为成品。

(三)注意事项

(1)清洗红枣时，要把泥土洗净。

(2)装盘时，枣泥不宜过厚。烘干时，要控制好温度。

(3)蒸煮袋杀菌时，每层要隔开，上层要压住，以防止杀菌不完全或蒸煮袋上浮。

(4)手工封口时，要尽量排出袋中气体，以利于保存。

(四)质量标准

(1)色泽为红褐色，均匀一致。

(2)具有枣香味，无其他异味。

(3)枣泥成糕状，不流散，无核，无果梗和大块果皮。

(4)可溶性固形物含量为 50%，总糖含量不低于 35%。

(5)重金属含量不得超过国家规定的标准。

(6)无致病病菌及微生物引起的腐烂现象。

七、枣汁的加工

枣汁，是以干枣为原料，用水浸渍法提出红枣中的可溶性物质，如糖、有机酸、矿物质、维生素、色素和单宁等营养物质，所制成的饮料。枣汁容易被人体所吸收，属生理性碱性食品，有很高的营养价值和药用价值。

(一)工艺流程

枣汁加工的工艺流程为：红枣(干枣)→挑选→清洗→浸泡→提取→过滤→调配→脱气装瓶→密封→杀菌→冷却→包装。

(二)加工技术要点

1. 原料挑选

选择无污染的干枣果，将其中的病、虫、烂果和杂物剔除。

　2. 清洗

　将挑好的枣果，放在清水中清洗干净，然后捞出晾干水分。

　3. 烘烤

　将清洗过的红枣，摊放在烤盘中，置于烘烤房中或远红外烘箱中烘烤。初期温度为60℃，烘烤1个小时左右，至枣发出香味时为止。然后，将温度调到90℃左右，烘烤1个小时，至枣发出焦香、枣肉紧缩、枣皮微绽时，取出后放凉。枣果经过烘烤后，所浸出的枣汁，枣香味更浓。由于枣果中含有各种糖类，烘烤过程中形成部分焦糖，焦糖香味和枣的香味相结合，使香味更浓。

　4. 浸泡

　将烘烤过的枣，放入水中浸泡，加水量以淹没枣为度，泡至枣肉微胀即可。

　5. 浸提与过滤

　将烘烤和浸泡过的枣，置于容器中，保温浸取24个小时，水温为60℃左右。在浸取过程中，要经常搅动。搅动时，勿用力过猛，以避免将枣弄碎。所浸提枣汁的可溶性固形物含量达10%左右时，进行静置。然后吸取上层清液，用纱布或板框压榨机过滤，即得澄清、透明与鲜红的枣汁。

　6. 调配

　原料配比为：枣汁(含可溶性固形物10%)85%，糖液(含可溶性固形物75%)14.9%，柠檬酸0.1%，枣香精0.01%。调配时，按此比例将枣汁、糖液、柠檬酸液置于夹层锅中，混合均匀。

7. 脱气

枣汁脱气，是为了除去枣汁中的空气，抑制褐变，抑制色素、维生素、香气成分和其他物质的氧化，防止装瓶后霉变。枣汁脱气，使用真空脱气机，也可用单效真空蒸发罐代替。脱气时，将枣汁吸入真空室内，喷射成雾状，以增大枣汁表面积，使枣汁中的气体迅速逸出。一般枣汁脱气的真空度为 84~94 kPa。脱气枣汁的温度以 50~70℃为好。枣汁经过脱气处理，一般会有 1%~2%的水分和少量挥发性成分损失，脱气时间应控制在 5 分钟左右。枣汁脱气后，将 0.01%的枣香精注入装汁机内，使之与枣汁混合，并趁热装瓶，立即密封。

8. 杀菌与冷却

将密封后的枣汁瓶，置于沸水中杀菌 15 分钟左右。杀菌后，采用喷淋法，将其迅速冷却至 37℃左右。枣汁采用瞬间杀菌法效果更佳。其方法是，枣汁脱气后，把它迅速泵入管式杀菌器，快速加热至 90℃以上，维持 20 秒钟左右，然后及时装瓶密封，倒瓶 1~3 分钟后，快速冷却到37℃左右。

(三)注意事项

(1)要掌握好枣果烘烤的适宜温度和时间。开始烘烤时温度不宜太高，要逐渐升温，直至枣果焦而不煳为止。若烘烤温度过高，制成的枣汁颜色发暗，并有焦煳味，营养成分也受到破坏，产品质量便受到损害。

(2)红枣含酸量低，若浸提出的枣汁 pH 值偏高，则产品在贮藏过程中易霉变。因此，在加工过程中，应根据枣汁含酸量的情况，加入柠檬酸，将枣汁 pH 值调整到 3.8～4 之间。

(3)枣汁加工过程时间较长，若 pH 值偏高，尤其是在夏季气温较高时，枣汁容易发酵。因此，要严格操作，搞好车间卫生，防止半成品积压，并使各工序紧密衔接，以保证产品质量。

(四)质量标准

(1)枣汁产品为深红色或褐色。

(2)具有枣汁应有的气味，清香爽口，无异味。

(3)枣汁清亮透明，均匀一致。长期存放后，允许其中有少量沉淀物。

(4)枣汁中的可溶性固形物含量为 18%～20%。

(5)枣汁酸度为 0.2%左右。

(6)符合国家食品卫生要求，重金属含量要在食品卫生要求的限量标准范围内。

八、无核糖枣的加工

无核糖枣外果皮黑紫红色、具光泽，蜜甜，食之无核，畅销国内外。

(一)工艺流程

无核糖枣加工的工艺流程为：枣果→去核→洗泡→浴煮→糖液浸泡→淋去糖液→烘枣→散热→分级包装。

(二)加工技术要点

1. 选料

选果形相似的优质红枣(瘦小、浆烂、裂口的枣不宜入选)。

2. 去核

用去核机去掉枣核。

3. 洗泡

将去核枣洗去表皮尘土，泡入净水池中 12~20 小时 (鲜枣免泡)，使果皮充分吸水。

4. 浴煮

用 18 波美度糖液加热煮沸，倒入泡胀的枣，持续沸煮 1 小时，待外果皮上蜡质受热同果皮分离，连同果胶质浮于液面。煮枣锅液面出现 1 层白沫时，再加白糖达 24 波美度，煮 15~20 分钟即可出锅。

5. 糖液浸泡

将锅中枣连同糖液一起放入缸中，在常温下浸泡 1~2 天，以利充分吸收糖分。

6. 淋去糖液

将浸足糖液的枣，从缸中取出，淋去多余的糖液。

7. 炕枣

将枣放于枣盘内，先以 50℃炕温快速而大量地排去枣中水分；4 小时后升温到 65℃，保持 20 小时，脱去果肉内的水分。炕温升到 68℃时，保持 2~4 小时，强行脱去果肉外层组织中的水分，使果皮出现细匀的收缩纹。

8. 散热

出炕枣放在干燥的室内，适度通风，一般为 12~24 小时，以排出热蒸汽。

9. 分级包装

无核糖枣成品，含水量 17%~19%，含糖量 68%~73%。按果形大小、色泽好坏分级包装。

(三)注意事项

(1)选用的枣果规格要基本一致。

(2)炕枣阶段把握好温度和时间。

(四)质量标准

(1)果皮黑紫红色,具光泽。

(2)枣香味浓,无其他异味。

(3)符合国家食品安全卫生指标。

九、夹心焦枣的加工

夹心焦枣酥甜,芳香,风味独特。其制作方法如下。

(一)工艺流程

夹心焦枣的加工工艺流程为:红枣→去核→夹心→烘烤→加光上色→焦化→包装。

(二)加工技术要点

1. 选料

以晒成的大、中型优质红枣为原料。

2. 去核

用去核机或去核钻沿枣果纵向去掉枣核。

3. 夹心

根据枣的大小,选合适的五香花生仁塞入去核后的枣中。

4. 烘烤

将夹心枣倒入特制的烘烤笼内,约占总容积的70%~75%;笼的转速为40转/分,30分钟可烘1笼。

5. 加光上色

在制成成品前15~20分钟进行加光上色。其方法是用带有少量枣肉的枣核,按 1∶1 的比例加水煮沸,取得枣水。每 20 kg 烘后枣加 0.5 kg 这种煮枣水,然后再烘 15～20 分钟,枣的外果皮便由无光的褐色变成具有金属光泽的红褐色。如制作糖衣夹心焦枣,在这一过程中不加煮枣水,而是倒入搅拌器中,趁热加入浓缩白糖液,边加边搅拌,至枣上出现雪白的糖霜为止。

6. 焦化

烘成的夹心焦枣,热时很软,倒在干燥室内的箔上,即自然变硬、酥焦。冬季 1 小时,夏季 5～6 小时即可。

7. 包装

用无毒塑料袋装,每袋 0.25～0.50 kg,再装入硬质纸箱内,可贮放两个月。

该加工方法最适宜在空气湿度低的 11 月份至翌年 4 月份间进行。

(三)注意事项

(1)原料选用以大、中型果为主。

(2)烘烤笼装原料时不易太多,笼的转速不可太快。

(3)掌握好加光上色的原料和时间。

(四)质量标准

(1)产品酥焦,但无焦煳味。

(2)枣香味浓,无其他异味。

(3)符合国家食品安全卫生标准。

十、枣豆糕的加工

枣豆糕是山西吕梁行署科委与山西农业大学共同研制的,以红枣、红豆、砂糖为原料加工精制而成。

(一)工艺流程

枣豆糕加工的工艺流程为：红小豆→挑选→淘洗→浸泡→蒸煮→降温→磨浆→过滤→脱水→豆沙

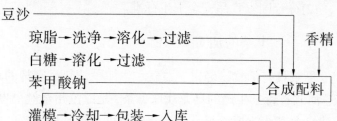

(二)加工技术要点

1. 枣浆的制取与浓缩

选优质红枣洗净沥水并水煮约 50 分钟后，转入打浆机中粉碎，过滤掉枣浆中的枣皮、碎块及核渣，再加温浓缩。

2. 豆沙制备

选优质红小豆，拣去杂物，洗后水煮 2 小时，将煮烂的小豆捞入打浆机中粉碎，并过滤掉豆渣，使豆沙脱水到含水量在 30%以下。

3. 糖液制备

取白糖放入锅中，加水溶化，糖液浓度为 35%～40%，过滤煮沸备用。

4. 配料

首先将糖液、琼脂、豆沙搅拌均匀，然后加入枣浆、饴糖和桂花香精、苯甲酸钠，再加热浓缩即成。

(三)注意事项

(1)过滤的枣糖和豆沙的过滤器网目在 0.6 mm 之内。

(2)红小豆中的杂物必须去净，以免影响口感和质量。

(3)所选物料的匹配比例，根据不同口味和要求确定。

(四)质量标准

(1)所选物料必须是优质。

(2)符合国家食品安全卫生标准。

十一、枣茶的加工

枣茶具有消食、健胃、益气、生津、清热、安神的功效。河北省青县生产的乌龙戏珠枣茶，是以沧州金丝小枣、福建乌龙茶为主要原料；河南郑州市可利食品厂生产的中华枣茶，主要原料是新郑鸡心枣、宁夏枸杞、福建乌龙茶等。乌龙戏珠枣茶的加工方法如下。

(一)选料

选优质无病虫的灵宝大枣及乌龙茶。

(二)清洗

洗去枣上的泥土，漂去杂物，洗净后晾晒。

(三)去核

用去核机将枣核去掉。

(四)烘枣

在特制烘房内将枣烘干。

(五)粉碎

在防潮的房间内将烘干的枣粉碎。

(六)磨茶粉

将烘干的乌龙茶磨成粉末。

(七)配料

在配料间将选好的原料按一定比例混合，即成乌龙戏珠枣茶。

(八)包装。

用包茶专用纸小包装袋(饮用时，每杯 1 袋)。

十二、速溶红枣粉的加工

速溶红枣粉为系列产品，根据其配料的不同，可分三大系列：一是红枣为主要原料，辅以砂糖等原料的纯枣型速溶红枣粉，为枣味浓、甘甜、略带苦味的快餐食品；二是以红枣为主要原料，辅以砂糖和天然营养原料的强化食品，为香味浓郁、回味无穷的快餐食品；三是以红枣为主要原料，辅以适量的中药或制剂的高档产品，口感适中，枣香药香交融，为中老年人和儿童的食疗、食补、防病健身的快餐食品。

(一)工艺流程

速溶红枣粉的加工流程如下：

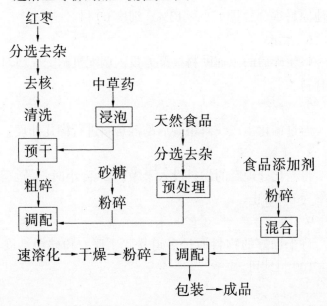

(二)加工技术要点

1. 分选去杂

将生产速溶红枣粉的原料去除杂质及霉烂枣果。

2. 清洗

将选好的红枣等原材料,用流动清水洗去泥沙和杂质,洗后沥干水分。

3. 去核

用去核机除去枣核。

4. 预干

将去核后的红枣放入 60～70℃的干燥机内烘干 2～4 小时，待枣果水分降至 14%～16%时取出。

5. 粗碎

用粗碎机将预干后的枣果粉碎成粒度 60 目细的枣粉；其他原料水分含量 12%～13%，细度 60 目。

6. 调配

将粗碎后的原辅助料按配方投入调配机调配成均匀的混合料。

7. 糊化

通过糊化生产线对粗调后的混合料进行糊化处理。

8. 干燥

将糊化处理后的物料投入干燥机 2～4 小时,干燥至含水率为 6%时止。

9. 粉碎

将干燥好的物料通过多道粉碎工序，粉碎至细度为 80～100 目即可。

10. 调配

将粉碎好的糊化粉投入调配机中，在搅拌过程中投入食品添加剂，然后再搅拌数十分钟即可。

11. 检测

将调好的糊化粉取样检测，水分含量、溶水特征、细度和均匀度等均合格即可包装。

12. 包装

先用全自动粉料定时包装机分装成 $40 \pm 0.5g$ 的小袋，然后以每 8 小袋为一大袋热合封口、装箱。

(三)注意事项

(1)所选用的物料必须是优质。

(2)按工艺流程严格操作。

(3)投入的食品添加剂不得超标。

(四)质量标准

(1)枣粉的细目达到规定标准。

(2)符合国家食品安全卫生标准。

十三、当归阿胶枣的加工

当归阿胶枣是具有特殊功效的高级营养保健食品，以灵宝大枣为主要原料，辅以名贵中药——山东东阿阿胶、甘肃当归、纯蜜糖等天然营养原料进行营养强化，经科学方法加工而成，不含任何色素和防腐剂。

(一)工艺流程

当归阿胶枣的加工工艺流程如下：

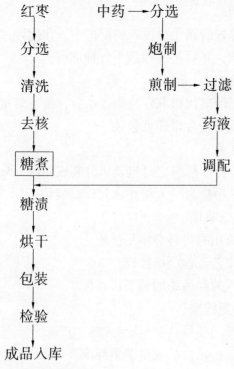

(二)加工技术要点

1. 分选

选择优质的灵宝大枣，含水量 18%左右，无霉变，无浆烂。

2. 清洗

将选好的灵宝大枣用流动清水洗去表面的尘沙、杂质。

3. 去核

用半自动的脚踏式去核机去核，去核机底座孔径大小要与枣核大小一致，若机座孔径小而枣核过大则内易留烂核，影响成品质量；若机座孔径大而枣核小时，则带走过多枣肉，造成浪费。

4. 糖煮

锅内加水 25 kg、白砂糖 10 kg，配制成 40%的糖液。将糖液煮沸后倒入枣 50 kg 煮 10～15 分钟。如果此时锅内有泡沫，可加入 30 g 植物油将其消除，然后分 3～4 次加入含量为 60%的冷糖水 5 kg。当枣煮至半透明时，分 3～4 次加砂糖 10～20 kg 并煮沸 10～15 分钟，测糖液浓度达到 65%左右时即可起锅。若糖液浓度低于 55%时加砂糖使浓度达 60%以上，煮沸后即可起锅。

5. 中药煎制

将阿胶、当归等药剂用清水洗净，加入等于药重 3 倍的水，加热煎制，待沸后改用小火慢煎 15～30 分钟，滤出药液；然后再加入等于药重 2.5 倍的水，进行第二次煎制，20 分钟后滤出药液；第三次煎制要求与第二次相同，最后把三次煎制的药液混在一起。

6. 糖渍

将煮好的枣捞出，将糖液和药液按一定的比例倒入缸中，糖渍 24～48 小时。

7. 烘干

将糖渍好的枣捞出，沥掉糖液，在 60℃→65℃→55℃ 的温度下烘炕 12～16 小时，枣果水分降至 16%～18%(不沾手时)即可出炕。

8. 包装

将刚出炕的枣倒在干燥的操作台上，凉至 20℃左右时即可进行定量包装。

9. 检验

按每批当归阿胶枣的 5%随机抽样进行检验，感观、理化、卫生等指标合格后签发检验合格证，方可入库。

10. 成品库存

本产品宜保存在 15℃左右的仓库中。

(三)注意事项

(1)严格按照操作程序进行。

(2)阿胶、当归等药剂要选用优质原料。

(3)烘干过程中，注意温度控制，小心焦枣。

(四)质量标准

(1)枣果含水量为 16%～18%。

(2)产品有枣香味，无其他异味。

(3)符合国家食品安全卫生标准。

十四、脆枣(焦枣)的加工

用肉质疏松的红枣烤制而成。成品松脆香甜，很有特色。选择果形较大、肉质较松、经过制干的灵宝大枣作原料，除劣后用温水浸泡淘水数分钟，再用清水反复淘洗，直到水清无杂滓。然后沥干或烘干果皮水渍。用去核机除去枣核。去核后的枣果先用 70℃烘烤 1 小时，水分大部分蒸发后，升温到 90℃再烘烤半小时，使含水量降到 2%～3%、枣果发出焦香气味即成。注意排潮和严控温度，防焦煳。取出烤盘，冷却后即可称重用塑料袋密封包装，防止吸湿反潮失脆。

十五、什锦枣泥的加工

什锦枣泥是传统枣泥改进的复合型果泥，具有营养丰富、风味香甜、用途广泛、食用方便的特点。

(一)工艺流程

什锦枣泥的加工工艺流程为：红枣→清洗→打浆→配料→磨细→熬煮→密封→杀菌。

(二)加工技术要求

1. 选料和清洗

选个大肉厚的优质红枣和花生、芝麻、核桃仁、玫瑰花、桂花、淀粉、琼脂等辅料。用 50～60℃温水浸泡翻搅干枣 5 分钟，再用清水反复洗净。

2. 软化和打浆

每 100 kg 洗净的红枣加水 50 kg，盖锅焖煮 1 小时左右，使果肉软烂。软化的红枣用筛孔 1～1.5 mm 的打浆机打浆，去除果皮、果核。

3. 配料和浓缩

按枣浆重量，配加 2%淀粉、0.2%琼脂、1%磨碎的炒花生和炒芝麻，万分之一至万分之二的玫瑰花浆。用胶体磨将上述物料混合磨细。将磨细的浆体置于不锈钢夹层锅中熬煮，按成品的 40%加入白砂糖，溶化后不断搅拌，防止焦煳。当浓缩到可溶化性固形物含量达到 55%时，加入占成品量 5%的花生油、炒熟的核桃仁碎块，或再加入万分之一桂花浆，拌和后停止加热，准备出锅。

4. 装罐密封和杀菌

趁热装罐(枣泥温度不低于 80℃)，并立即密封，若用真空封罐机封口，真空度需保持在 27 kPa 以上。在沸水中杀菌 20 分钟，冷却后进行质量检验，最后贴上标签，装箱入库。

(三)注意事项

(1)选用的物料必须是优质。

(2)配料比例严格控制在标准之内。

(3)把握好密封和杀菌环节。

(四)质量标准

(1)按照有关技术标准进行质量检验。

(2)符合国家食品安全卫生标准。

十六、枣豆羹的加工

枣豆羹以枣浆、豆沙等物料制成的糕羹，质地细腻起沙有弹性，风味香甜，十分可口。

(一)工艺流程

枣豆羹的加工工艺流程为：

红枣→浸泡→打浆→过滤→加热→枣浆→ 混合 加热 浓缩 ——白砂糖 ——琼脂 ——食盐

红小豆→清洗→浸泡→加热→打浆→过滤→

(二)加工技术要点

1. 配料制备

枣浆以优质红枣洗净后，用温水浸泡 24 小时，吸水膨胀后置夹层锅内，按每千克干枣加水 2 kg 的比例，加热煮至果肉软化，取出用筛孔 0.6 mm 的打浆机打浆，除去皮核，然后将枣浆在夹层锅内加热浓缩至可溶性固形物含量 35%时出锅备用。豆沙，选优质红小豆淘洗干净，温水浸泡 1 小时膨胀后，以干豆和水 1∶2 的比例置高压锅中煮 1 小时左右，待完全酥烂取出用同样筛孔的打浆机打浆，除去较粗的渣滓，用细布滤沙或用离心机甩沙，制取含水量约50%的豆沙。将琼脂洗净，加少量水加热溶化，滤渣。白砂糖按75%的浓度加水煮溶，滤渣。

2.　配料浓缩

按枣浆15%、红小豆33%、白砂糖50%、琼脂1.5%、食盐0.6%的比例混合加热浓缩到可溶性固形物含量达到68%时，加入0.01%苯甲酸钠搅拌均匀后，继续浓缩到可溶性固形物含量达70%时出锅。配料时也可加入适量猪油、花生油、炒芝麻、炒花生仁、炒核桃仁、桂花等物料，增进风味。

3.　灌模冷却和密封包装

浓缩好的物料迅速灌模，冷却后包装。使用前，灌装模具、用具、容器、包装箔纸、包装箱都须经高温消毒。模具等用具用无菌锅，以120℃高温经15分钟杀菌，包装用纸或铝箔纸、包装箱用烘箱，以110~120℃经15~20分钟灭菌。工作人员操作前，用70%酒精消毒双手。用包装纸或箔纸包装的成品，随即用灭菌的无粮浆糊封口，装入纸盒销售或入库暂存。

(三)注意事项

(1)所选物料必须优质。

(2)过滤细目必须达标。

(3)严格按照混合比例操作。

(四)质量标准

(1)产品质地细腻。

(2)符合国家食品安全卫生标准。

第十三章 枣树优良品种介绍

我国地域辽阔，枣树品种达700余个。为了扩大灵宝市的枣树品种资源，1998年灵宝市林业局组织灵宝市林科所，从全国各主产枣区引进优良品种46个，在灵宝市林科所进行栽植对比试验。通过对比试验和分析，适宜在灵宝市栽植的优良品种有20余个。下面将各品种的来源及性状作以介绍，供生产经营者引种参考。

一、枣树的鲜食品种

(一)临猗梨枣(Linyilizao)

1. 品种来源

临猗梨枣原产于山西临猗、运城等地，栽培数量不多，多为农家庭院零星栽植。据古文献《尔雅》记载，古时称大枣，已有3 000余年的历史。

2. 品种性状

临猗梨枣树势中等，树体较小，干性弱，枝条密，树冠自然圆头形，树姿开张。19年生树干高1.5 m，干周50 cm，树高5.9 m，冠径东西5.9 m，南北5.3 m。主干灰褐色，皮裂较深，较易剥落。枣头红褐色，萌发力强，生长势中等或较强，平均生长量40～60 cm，有的可达80 cm以上，节间长7～8 cm，二次枝自然生长6～8节，针刺不发达。皮目小，圆形或卵圆形，分布较密，凸起，开裂，灰白色。

枣股小，圆锥形，抽生力强，每股平均抽生 4.4 吊。枣吊平均长 16.33 cm。叶片厚而较小，卵圆形，深绿色，叶长 5.25 cm、宽 2.4 cm，先端渐尖，叶基圆形，叶缘锯齿粗而中密。花量少，每吊平均着花 28.5 朵，每花序平均 2.2 朵。花中大，零级花径 7.2 mm，1 级花径 7 mm。蜜盘较小，杏黄色，花为昼开型。

临猗梨枣果实特大，长圆形或近圆形，纵径 4.2 cm，横径 4 cm，果重 30 g 左右，最大果重 100 g 以上，大小不均匀。果梗细而较长，梗洼窄而较深。果顶平，柱头遗存。果皮薄，浅红色，果面欠平滑。果点小而密，圆形，浅黄色，较明显。果肉厚，白色，肉质松脆，较细，味甜，汁液多，品质上等，适宜鲜食和加工蜜枣。

临猗梨枣鲜枣可食部分占 96%。含可溶性固形物 27.9%，单糖 17%，双糖 5.25%，总糖 22.25%，酸 0.33%，糖酸比 67.43∶1；含维生素 C 292.25 mg/100 g，含水量 69.8%，钙 0.304%，镁 2.27%，锰 7.786 mg/kg，锌 8.341 mg/kg，铜 2.345 mg/kg，铁 58.039 mg/kg。核小，纺锤形，纵径 2.05 cm，横径 0.85 cm，重 0.8 g，核尖较短，核纹较深，核面粗糙，核内无种仁。

临猗梨枣结果早，嫁接苗部分植株当年可少量结果，第二年可普遍结果，第三年就进入盛果期。早丰性特强。山西省交城县林科所 3 年生密植丰产试验园，每公顷产鲜枣 20 872.5 kg。坐果率高，枣头吊果率 117.6%，2 年生枝吊果率 64.3%，3 年生枝吊果率 77.56%，最多一个木质化枣吊能结 30 多个果。坐果部位在 2～15 节，主要坐果部位在 5～13 节，占坐果总数的 81.54%。特丰产，产量稳定，

19 年生树，在一般管理条件下，株产 50 kg 以上，管理好的枣园，每公顷可产鲜枣 37 500 kg 以上。山西临猗县庙上乡山东庄村黄小民的 0.47 hm² 密植丰产园，2002 年产鲜枣 20 000 kg，产值达万元，平均每公顷可产鲜枣 45 000 kg 以上。

该品种植株在灵宝地区 4 月上旬萌芽，5 月下旬始花，8 月下旬果实着色，9 月上旬至中旬成熟，成熟时间不一致，10 月下旬至 11 月初落叶。年生长期 200 天左右，果实生育期 110 天左右。枣吊生长高峰期在 4 月 20 日至 5 月 20 日，此时枣吊生长量占总生长量的 71%，5 月 20 日后缓慢生长，6 月 20 日前后停止生长。

　3. 适栽地区、地域

临猗梨枣适应性较强，在全国宜枣地区均可栽植。北方枣区鲜食和加工蜜枣兼用，南方枣区以加工蜜枣为主。

(二)鲁北冬枣(Lubeidongzao)

鲁北冬枣又名冻枣、苹果枣、冰糖枣、雁过红、沾化冬枣、黄骅冬枣等。

　1. 品种来源

鲁北冬枣原产于河北黄骅、海兴、盐山和山东沾化、枣庄等市、县。1985 年之前，多为农户房前屋后和庭院内零星栽植，成片栽植的很少。据报道，到 20 世纪末的不完全统计，在黄骅市齐家务乡东、西巨官等村，有近千株百年生左右的冬枣树，几百年生的树有几十株，树龄最大的有 400 年生左右，是冬枣的原产区域。山东沾化的冬枣枣树，主要分布于下洼、大高、古城等乡镇，1984 年进行枣树资源普查时，发现百年生左右的冬枣树 50 余株。

2. 品种性状

鲁北冬枣树势中等，树体中等大，干性中等强，枝条较密，树姿较开张，树冠呈自然半圆形。枣头紫褐色，针刺基本蜕化。一般每一个枣头有二次枝 4~7 个，二次枝自然生长 5~8 节。枣股较小，抽吊力中等。枣吊中等长，平均长 1.5~2 cm。叶中等大，长卵形或卵状披针形，深绿色，边缘向叶面稍卷曲，叶长 4~6 cm，宽 2~3 cm，先端渐尖或钝尖，叶基圆形，叶缘锯齿中度密而浅。花小，花量多。

鲁北冬枣的花为夜开型。果实中等大，近圆形，纵径 2.9 cm，横径 3 cm，平均果重 13 g，大小不均匀。果皮薄，赭红色，果面平滑。果点小而圆，浅黄色，分布较密。果梗细而较长，梗洼中等大，较浅。果顶微凹，柱头遗存，不明显。果肉较厚，绿白色，肉质细嫩酥脆，味甜，汁液多，品质极上，适宜鲜食，可食部分 94.67%。鲜枣含可溶性固形物 38%~42%，含维生素 C303 mg/100 g。核较小，短纺锤形，纵径 1.7 cm，横径 0.7 cm，重 0.7 g。核尖短，核纹中度深，含仁率高，种仁较饱满，多为单仁，也有双仁的，可作育种亲本。

本品种植株在灵宝 4 月中旬萌芽，5 月下旬始花，6 月上中旬盛花，8 月上旬终花，花期达 80 天左右。9 月中旬果实进入白熟期，10 月上中旬脆熟，果实生育期 120 天以上。10 月下旬落叶。年生长期 190 天左右。

鲁北冬枣结果较早，嫁接苗栽后一般第二年开始结果，第三年就有一定的产量。产量中等而稳定，盛果期树，一般株产鲜枣 20~30 kg。采用小冠密植栽培，5 年后进入盛果期，每公顷枣园产鲜枣 7 500~15 000 kg。

　　实践证明, 开发鲁北冬枣这一名贵资源, 是农村产业结构调整的好项目, 其发展前景较好。据调查, 鲁北冬枣每公斤可卖 10 元, 在"双节"期间每公斤最高可卖 30 元, 效益非常可观。近几年来, 鲁北冬枣是北方地区发展速度最快、发展数量最多、栽培效益较好的鲜食优良品种。

　　3. 适栽地区、地域

　　鲁北冬枣果实生育期长, 成熟晚, 适宜北方年均气温 11℃以上的地区种植。

(三)永济蛤蟆枣(Yongjihamazao)

　　1. 品种来源

　　永济蛤蟆枣原产于山西省永济县仁阳、太宁等村, 为当地主栽品种。栽培历史不详, 现有很多 200 多年生大树。

　　2. 品种性状

　　永济蛤蟆枣树势强健, 树体高大, 中心干较强, 枝条中等密、粗壮, 树姿较直立, 树冠乱头形。萌蘖力弱, 根蘖生长势强。19 年生树干高 1.55 m, 干周 52.3 m, 树高 8.8 m, 冠径东西 4.92 m, 南北 5.26 m。主干灰褐色, 皮裂较深, 较易脱落。枣头萌发力中等, 红褐色, 生长势强, 平均生长量 75.86 cm, 节间长 7~9 cm, 二次枝 7~9 个, 二次枝自然生长 4~7 节, 针刺不发达。枣股较大, 抽吊力中等, 每股平均抽生 3.27 吊。枣吊平均长 17.27 cm, 最长 31 cm 以上。叶片大, 长卵形, 绿色, 叶长 5.9 cm、宽 3.11 cm, 先端渐尖, 叶基圆形或偏圆形, 叶缘锯齿较细。花量中等多, 每吊平均着花 57.2 朵, 每花序平均着花 4.11 朵。花大, 零级花花径 8 mm, 1 级花花径 7.5 mm。蜜盘大, 橘黄色。花蕾 6 时左右开裂。

永济蛤蟆枣果实大,扁柱形,纵径5.59 cm,横径3.98 cm,侧径3.57 cm,平均果重34 g,大小不均匀。果皮薄,深红色,果面不平滑,有明显小块瘤状隆起和紫黑色斑点,类似癞蛤蟆瘤状,故称"蛤蟆枣"。果点较大,分布较密,浅黄色。果顶平或微凹,柱头遗存。果梗中等粗,较长,梗洼窄而深。果肉厚,绿白色,肉质细而较松脆,味甜,汁液较多,品质上等,适宜鲜食。

永济蛤蟆枣鲜枣含可溶性固形物28.5%,单糖21.08%,双糖2.73%,总糖23.81%,酸0.43%,糖酸比24.24∶1;可食率96.48%;含维生素 C397.46 mg/100 g,含水量68.4%,含钙0.485%,镁0.249%,锰4.077 mg/kg,锌10.266 mg/kg,铜2.178 mg/kg,铁27.938 mg/kg;每克鲜重含环磷酸腺苷 7.5 纳摩尔(nmol)。干枣含可溶性固形物 77%,单糖60%,双糖1.15%,总糖61.15%,酸0.84%,糖酸比72.6∶1;含维生素 C 25.08 mg/100g;每克果肉干重含环磷酸腺苷 22.06 nmol。核小,纺锤形,纵径3.62 cm,横径0.96 cm,重1.2 g。核尖中长,核纹较深,核面粗糙,不含种仁。

永济蛤蟆枣结果较早,根蘖苗一般第二年开始结果,15 年后进入盛果期。坐果率中等。当年枣头吊果率50.42%,2 年生枝吊果率62.71%,3 年生枝吊果率28.85%,坐果部位在 1～16 节,主要坐果部位在 5～10 节,占坐果总数的 66.9%。产量中等,19 年生树,在一般管理条件下,平均株产鲜枣 20 kg 左右。

永济蛤蟆枣在灵宝 4 月上旬萌芽,5 月下旬始花,6 月上中旬盛花,8 月下旬果实着色,9 月中旬脆熟,10 月中旬落叶。年生长期 170 天左右，果实生育期 100 天左右。枣吊生长高峰期在 5 月 1 日至 20 日，占总生长量的 77.99%，5 月 20 日后缓慢生长，至 6 月 10 日大部分停止生长。枣头生长高峰期在 5 月 1 日至 6 月 15 日，占总生长量的 92.65%，6 月 15 日后缓慢生长，6 月 30 日前后停止生长。

3. 适栽地区、地域

该品种适应性强，成熟期遇雨易裂果，适宜在北方枣区的城郊和工矿区栽植。

(四)大白铃(Dabailing)

大白铃又名梨枣、鸭蛋枣、鸭枣青。

1. 品种来源

大白铃起源于山东夏津，分布于山东临清、武城、阳谷和河北献县等地。栽培很少，多为零星栽植。

2. 品种性状

大白铃树势中等，树体较大，干性强，枝条中度密，树冠圆锥形或自然半圆形，树姿较开张。40～50 年生树干高 1.5 m，干周 80 cm，树高 7.5 m，冠径 6 m。主干灰褐色，皮裂浅，易剥落。枣头红褐色，生长势中等，一般生长量 50～60 cm，节间长 7～8 cm。皮目大，圆形或长圆形，凸起，开裂。二次枝自然生长 5～7 节，针刺不发达。枣股中等大，抽吊力中等，平均每股抽生 3～4 吊。枣吊中等粗，中等长，一般长 15.5～18.5 cm。叶中等大，长卵形，深绿色，叶长 4.4～5.9 cm，宽 2.5～3 cm，先端渐尖，叶基圆形，叶缘锯齿较粗，密度中等。花量多，枣吊中部每个花序着花 10～11 朵。花小，花径 6 mm。蜜盘中等大，浅黄色。

大白铃果实大，近圆形，纵径 3.9～4.3 cm，横径 3.8～

4.1 cm，一般果重 24.5～25.6 g，最大果重 42 g，大小不均匀。果梗短而粗，梗洼窄而深。果顶平，柱头遗存。果点小而密，圆形，浅黄色。果皮较薄，紫红色，果面欠平滑。果肉厚，绿白色，肉质松脆，味甜，汁液中等多，品质上等偏下，适宜鲜食。

大白铃鲜枣含可溶性固形物 33%左右。可食率 96.5%。核小，纺锤形，纵径 2.2～2.4 cm，横径 1～1.2 cm，重 0.9 g，核尖短，核内大部分无种仁。

大白铃结果早，春季用较大砧木嫁接，当年即可结果。丰产，产量稳定，成龄树平均株产鲜枣 60 kg。果实 9 月上中旬成熟。果实生育期 95 天左右。果实抗病性强，一般年份极少裂果。

3. 适栽地区、地域

大白铃适应性强，成熟较早，各宜枣地区均可栽培。

(五)大瓜枣(Daguazao)

1. 品种来源

大瓜枣起源于山东东明。栽培数量不多，多为农家庭院零星栽植。栽培历史不详。

2. 品种性状

大瓜枣树势较强，树体较大，枝条较稀，树冠多呈主干疏层形。60 年生树干高 1.5 m，干周 50 cm，树高 7 m，冠径 5.2 m。主干灰褐色，皮较易剥落。枣头萌发力较弱，红褐色，生长势强，生长量 65～94 cm，平均 79.8 cm，针刺不发达。皮目较小，分布稀疏，圆形，凸起。枣股圆柱形，抽吊力较强，每股抽生 3～5 吊。枣吊平均长 14 cm。叶片较小，长卵圆形，深绿色，叶长 4.4 cm、宽 2.6 cm，先端渐尖，叶基近圆形或广楔形，叶缘锯齿浅而较稀。花量多。蜜盘杏黄色。

大瓜枣果实大，扁圆形，纵径 3.6 cm，横径 3.85 cm，平均果重 25.7 g。梗洼窄而深，果顶平，柱头遗存。果皮薄，鲜红色，果面平滑，果点不明显。果肉厚，乳白色，肉质致密，细脆，甜味浓，汁液中等多，品质上等偏下，适宜鲜食。

大瓜枣果实含可溶性固形物 32% ~ 34%。可食率 95%。核小，倒卵形，纵径 2.4 cm，横径 1.4 cm，重 1.2 g，核尖短，核纹较深，核面粗糙，少数核内有种仁。

大瓜枣根蘖苗 3 ~ 4 年开始结果，嫁接苗当年即能结果，早丰性极强，产量较高。在灵宝 4 月上旬萌芽，5 月下旬始花，9 月中旬果实成熟，10 月下旬落叶。年生长期195 天左右，果实生育期 100 天左右。一般年份裂果极少，果实抗病性极强。

3. 适栽地区、地域

大瓜枣适应性强，一般年份裂果较少，果实抗病性极强，适于宜枣地区栽植。

二、枣树的制干品种

(一)相　枣(Xiangzao)

1. 品种来源

相枣原产于山西运城市(原安邑县)北相镇一带，故名"相枣"。据说，古时曾作贡品，因而也称"贡枣"，为当地主栽品种，也是一个古老的品种。据《安邑县志》记载，相枣已有 3 000 余年的历史了。

2. 品种性状

相枣树势中等或较强，树体较大，干性较强，枝条较密，树冠多呈自然半圆形，树姿半开张。19 年生树干高 1.26 m，干周 46.83 cm，树高 9.17 m，冠径东西 5.3 m，南北 5.42 m。枣头红褐色，萌发力中等，生长势中等，节间长 9~10 cm，二次枝自然生长 6~8 节，针刺较发达。皮目小，较密，圆形或椭圆形，凸起，开裂，灰白色。枣股中等大，圆柱形，抽吊力中等，每股抽生 2~5 吊，多为 3~4 吊。枣吊一般长 16 cm 左右。叶小，长卵形，深绿色，叶长 6.21 cm、宽 3 cm，先端渐尖，叶基圆形，叶缘锯齿浅。花量中等多，每吊平均着花 48.1 朵，每花序平均 3.8 朵。花小，零级花花径 6.84 mm，1 级花花径 6.46 mm，夜开型。蜜盘较小，橘黄色。

相枣果实大，卵圆形，纵径 4.46 cm，横径 3.7 cm，平均果重 22.9 g，大小不均匀。果梗中等长，较粗，梗洼窄而深。果顶平，柱头遗存。果皮厚，紫红色，果面光滑。果点较小，分布中等密，浅黄色。果肉厚，绿白色，肉质致密，较硬，味甜，汁液少，适宜制干。干枣品质上等，制干率 53%。

相枣鲜果含可溶性固形物 28.5%，单糖 13.45%，双糖 12.06%，总糖 25.51%，酸 0.34%，糖酸比 74.89∶1；可食率 97.56%；含维生素 C 474 mg/100g，含水量 59.4%，钙 0.466%，镁 0.246%，锰 3.361 mg/kg，锌 9.493 mg/kg，铜 2.125 mg/kg，铁 16.63 mg/kg；每克鲜枣果肉含环磷酸腺苷 43.75 nmol。干枣含单糖 63.61%，双糖 9.85%，总糖 73.46%，酸 0.84%，糖酸比 87.45∶1；含维生素 C 23.6 mg/100 g，

含水量 17.39%，钙 0.2%，镁 0.075%，锰 4.09 mg/kg，铜 2.245 mg/kg，铁 29.51 mg/kg；每克干枣果肉含环磷酸腺苷 121.53 nmol。酒枣含可溶性固形物 36.6%，单糖 27.45%，酸 2.07%，糖酸比 59.31∶1；含维生素 C 6.95 mg/100g，含水量 59.13%。干枣果肉富有弹性，耐挤压。核小，纺锤形，纵径 2.55 cm，横径 0.83 cm，重 0.56 g。干枣可食率 94%。核纹较深，核面较粗糙，大果内含有种仁，但种仁不饱满，小果内核蜕化呈膜状。

相枣树结果早，根蘖苗一般第二年开始结果。陕西清涧县洲洋公司苗圃，1 年生酸枣实生砧嫁接苗，当年结果株率达 83.33%，平均单株结果 11.25 个，单株最高结果 34 个。15 年左右进入盛果期，盛果期长，坐果率高。当年枣头吊果率 59.26%，2 年生枝吊果率 46.43%，3 年生枝吊果率 31.39%，坐果部位在 1～14 节，主要坐果部位在 2～7 节，占坐果总数的 68.7%。较丰产，产量较稳定。19 年生树在中等管理条件下，平均株产鲜枣 20.45 kg，最高株产 32 kg。在灵宝 4 月上中旬萌芽，5 月下旬始花，6 月上中旬盛花，6 月底终花，8 月下旬果实着色，9 月中旬果实脆熟，10 月中下旬落叶。年生长期 170 天左右，果实生育期 110 天左右。枣吊生长高峰期在 5 月 1 日至 25 日，占总生长量的 67.1%，5 月 25 日后生长缓慢，6 月 29 日前后停止生长。枣头生长高峰期在 5 月 1 日至 25 日，占总生长量的 83.1%，5 月 25 日后生长缓慢，6 月 14 日前后停止生长。

3. 适栽地区、地域

相枣树适应性强，历史上是山西的四大名枣之一。果肉富弹性，耐挤压，耐贮运，成熟期遇雨裂果轻，是山西最著名的制干优良品种，具有开发价值，可在北方宜枣地区重点推广种植。

(二)圆铃枣(Yuanlingzao)

圆铃枣又名紫铃、圆红、紫枣等。

1. 品种来源

圆铃枣原产于山东聊城、德州等地。以荏平、东阿、聊城、齐河、济阳栽培较集中，河北西南部、河南东部以及山东泰安、潍坊、济宁、惠民等地也有栽培。圆铃枣是山东的重要制干品种，也是栽培数量最多的品种，为全国主要品种之一。

2. 品种性状

圆铃枣树势强，树体较大，枝条较密，树冠自然半圆形，树姿开张。20 年生树干高 1.45 m，干周 78 cm，树高 8～9 m，冠径 6.2 m。主干灰褐色，皮裂细，不易剥落。枣头红棕色或棕褐色，萌发力较强，二次枝自然生长 6～8 节，针刺较发达。皮目大，黄褐色，分布密。枣股中等大，短柱形，4～5 年生枣股长 0.8～1 cm，老龄枣股长 1.8 cm，可持续结果 6～8 年。抽吊力中等，每股平均抽生 3～4 吊。枣吊长 14～20 cm。叶片中等大，卵圆形或宽披针形，深绿色，叶长 4.1～5.1 cm、宽 2.2～2.6 cm，先端渐尖，叶基圆形，叶缘锯齿细，中度密。花量中等，每花序平均着花 3～7 朵。花较大，花径 7～7.5 mm，7 时半左右蕾裂。蜜盘中等大，浅黄色。

圆铃枣果实大或中等大，近圆形或长圆形，大小不均匀。大果纵径 4～4.2 cm，横径 2.7～3.3 cm，最大果重达 30 g；中小果纵径 2.8～3.5 cm，横径 2.7～3.3 cm，平均果重 12.5 g。果梗细而短，梗洼中度广、中等深。果顶微凹，柱头遗存。果皮较厚，紫红色，果面不平滑，有紫黑色点。果点小而密，圆形，不明显。果肉厚，绿白色，肉质较粗，味甜，汁液少，适宜制干。干枣品质上等，制干率 60%～62%。

圆铃枣鲜果含可溶性固形物 31%～35.6%。可食率 97%。干枣含糖量为 74%～76%，酸 0.8%～1.4%。核小，纺锤形，纵径 1.6～1.9 cm，横径 0.6～0.9 cm，重 0.37 g，核尖短，核纹深，多不含种仁。

圆铃枣树的根蘖苗结果晚，一般栽后 4～5 年开始结果，嫁接苗结果较早，陕西清涧县洲洋公司苗圃中栽植的 1 年生酸枣实生砧木嫁接苗，当年结果株率达 50% 以上，单株最高结果 13 个。坐果率高，较丰产，盛果期平均株产鲜枣 35 kg。在灵宝 4 月上旬萌芽，5 月下旬始花，9 月上中旬果实成熟。果实生育期 95 天左右。

3. 适栽地区、地域

圆铃枣树适应性强，可在宜枣地区栽培。山东农业科学院果树研究所已从圆铃枣中选出圆铃新 1 号和圆铃新 2 号，综合性状优于圆铃枣，可作为圆铃枣的替代品种。

(三)大荔圆枣(Daliyuanzao)

大荔圆枣又名铃铃枣。

1. 品种来源

大荔圆枣主产于陕西大荔县石槽、官池、苏村、八渔等地，为当地主栽品种。起源不详。

2. 品种性状

大荔圆枣树势较强，树体高大，干性强，树冠自然圆头形，树姿较直立或半开张。成龄树树高 8～10 m，冠径

6～8 m。主干灰褐色，皮裂深，不易剥落。枣头红褐色，生长势强，平均生长量 75 cm，节间长 6.8 cm。皮目小，圆形，凸起，开裂、灰白色。二次枝自然生长 3～9 节，针刺较发达。枣股大，圆柱形，长 2 cm 左右，直径 1.5 cm，抽吊力中等，每股抽生 2～4 吊。枣吊长 16～20 cm，节间长 1.1～1.7 cm。叶小，卵圆形，绿色，叶长 3～5 cm、宽 1.5～3 cm，先端渐尖，叶基圆形，叶缘锯齿浅而密。花小，花量较少，花径 6～6.5 mm。蜜盘杏黄色。

大荔圆枣果实大，近圆形，纵径 3.7～4.1 cm，横径 3.6～3.9 cm，平均果重 18.2 g，最大果重 25.4 g，大小较均匀。果梗中等长而细，梗洼中度广而较浅。果顶凹，柱头遗存。果皮薄，紫红色，果面平滑。果点小而稀，圆形，较明显。果肉厚，绿白色，肉质致密，细脆，味甜，汁液中等多，品质中上等，适宜制干。

大荔圆枣鲜果含可溶性固形物 25%～28%，总糖 19.2%酸 0.24%；可食率 97.4%。干枣含总糖 70.3%，酸 0.69%。核小，长倒卵形，纵径 1.5～2.1 cm，横径 0.6～0.8 cm，核尖短，核纹浅，含仁率 30% 左右。

大荔圆枣树结果早，定植后一般第二年开始结果，产量高而稳定，成龄大树株产鲜枣 75 kg 左右，最高株产 120 kg 以上。

大荔圆枣在灵宝 4 月中旬萌芽，5 月中旬始花，9 月中旬果实脆熟。果实生育期 110 天左右。

3. 适栽地区、地域

大荔圆枣树适应性强，耐瘠薄，在沙土地栽培表现良好。品质中上，主要用于制干和加工蜜枣，宜在北方平原沙土地区和蜜枣加工区适量栽植，也宜在南方蜜枣加工地区种植。

(四)金丝小枣(Jinsixiaozao)

1. 品种来源

金丝小枣广泛分布于山东乐陵、无棣、庆云、阳信、沾化、寿光和河北沧县、献县、泊头、南皮、盐山、青县等地，为当地主栽品种，也是全国栽培最多的主要品种。栽培历史悠久，据乐陵、无棣县志记载，在400年前的明代已有大规模栽培。清代乾隆年间，乐陵金丝小枣曾作为贡品，被乾隆皇帝封为"枣王"，并赐予枣王匾。该品种果实晒至半干，掰开果肉，可拉出6～7 cm长的金色细丝，故名"金丝小枣"。

2. 品种性状

金丝小枣树势中等，树体中等大，干性中等强，枝条中度密，树冠易形成多主枝疏层形，树姿大部分半开张，有少数植株树姿开张。生长于土壤条件较好的30年生成龄大树，并施行环剥的植株，干高1.12 m，干周70 cm，树高5.5～6.5 m，冠径5 m左右。不施行环剥的植株，树高7～8 m，冠径6～7 m。主干灰褐色，皮粗糙，易剥落。枣头黄褐色，萌发力中等强，一般生长量60 cm左右，着生永久性二次枝5个左右，节间长4～6 cm。二次枝自然生长5～8节，针刺较发达，皮目小而中度密，圆形，突起，开裂，灰白色。枣股中等大，圆柱形或圆锥形，抽吊力较强，一般每股抽生3～5吊。枣吊长13～20 cm。叶片较大，长卵形或卵状披针形，深绿色，叶长4.9～6.5 cm、宽1.9～2.7 cm，先端渐尖，叶基圆形，叶缘锯齿浅，中度密。花

量多，每花序着花 3~9 朵。花中等大，零级花花径 7 mm
左右，1 级花花径 6.8 mm，昼开型。蜜盘中大，杏黄色。

金丝小枣果实小，平均果重 5 g，果形因株系而异，
有椭圆形、长圆形、鸡心形、倒卵形等。果梗细，中等长，
梗洼中度深，较窄。果顶平，柱头遗存。果皮薄，鲜红色，
果面光滑。果肉厚，乳白色。质地致密，细脆，味甘甜微
酸，汁液中等多，品质上等，适宜制干和鲜食，制干率
55%~58%。

金丝小枣鲜果含可溶性固形物 34%~38%，维生素 C
560 mg/100g。干枣果形饱满，肉质细，富弹性，耐贮运，
味清甜。

金丝小枣干果含糖 74%~80%，含酸 1%~1.5%。可
食率 95%~97%。核小，纺锤形，重 0.25 g，核纹浅，核
尖中等长，在国家种质园，含仁率较高，种仁较饱满。

金丝小枣树结果较迟，根蘖苗一般第三年开始结果，
10 年后进入盛果期。坐果率高，坐果部位在 1~9 节，主
要坐果部位在 3~7 节，占坐果总数的 82.3%。较丰产，产
量较稳定，一般管理条件下，20 年生树平均株产鲜枣 40~
60 kg，最高株产 90 kg 以上。在灵宝 4 月上旬萌芽，5 月
下旬始花，9 月上旬果实开始着色，9 月下旬完熟。果实生
育期 100 天左右。

3. 适栽地区、地域

金丝小枣树的适应性较强，鲜食和制干兼用，多用于
制干，成熟期较晚，适于北方年平均气温 9℃以上地区栽
培。年平均气温 9℃以下地区栽植，果实成熟度差，影响
干枣品质。

(五)赞皇大枣(Zanhuangdazao)

赞皇大枣又名赞皇长枣、赞皇金丝大枣。

1. 品种来源

赞皇大枣原产于河北赞皇县,为当地主栽品种,在赞皇已有 400 多年的栽培历史,是目前发现的惟一三倍体品种,细胞染色体为 2n=3x=36。20 世纪 60 年代引至山西太谷,生长、结果和品质综合性状表现良好,80 年代以来已成为山西全省范围内重点推广品种之一。70 年代引至新疆阿克苏地区栽种,表现甚佳,产量、品质优于原产地。该品种是近年来我国北方地区发展最多的品种之一,将成为北方的主要品种之一。

2. 品种性状

赞皇大枣树势强,树体较高大,干性中等强,枝条较稀、粗壮,树冠多呈自然圆头形,树姿半开张。主干灰褐色,皮裂较深,不易剥落。枣头生长势强,红褐色,一般生长量为 60 cm 左右,节间长 6.8 cm,二次枝着生 7~10 个。二次枝自然生长 5~9 节,针刺较发达。皮目小,较稀,圆形,凸起,开裂,灰白色。枣股较大,圆柱形,老龄枣股长 2.7 cm,能持续结果 10 年左右,抽吊力中等,每股一般抽生 3~4 吊。枣吊长 12.22 cm,节间长 1.5~2 cm。叶片厚而宽大,深绿色,叶长 5.5~7 cm、宽 3.6~4.5 cm,先端钝圆或渐尖,叶基心形或圆形,叶缘锯齿粗,中度密。花量较多,每吊一般着花 50 朵左右,每花序平均着花 4.1 朵。花大,花径 8~9 mm,昼开型。蜜盘中等大,杏黄色。

赞皇大枣果实大,长圆形或倒卵形,纵径 4.1 cm,横径 3.1 cm，平均果重 17.3 g，最大果重 29 g，大小较均匀。果梗中等长、中等粗，梗洼窄中等深。果顶微凹，柱头不明显。果皮中度厚，深红色，果面光滑。果点小而圆，分布中度密，不明显。果肉厚，近白色，肉质致密细脆，味甜略酸，汁液中等多，品质上等，适宜鲜食、制干和蜜枣加工，制干率 47.8%。

赞皇大枣鲜果含可溶性固形物 30.5%。核小，纺锤形，核尖短，核纹中度深，核面较粗糙，核内无种仁。

赞皇大枣树结果较早。陕西清涧县洲洋公司以赞皇大枣接穗嫁接在 1 年生酸枣实生苗砧木上，当年结果株率达 48.57%，单株平均结果 3.69 个，单株最高结果 13 个。坐果率高，坐果部位在 1~14 节，主要坐果部位在 3~9 节，占坐果总数的 88.49%。产量高而稳定，成龄树每公顷可产鲜枣 15 000~75 000 kg。在灵宝 4 月上旬萌芽，5 月下旬始花，6 月上中旬盛花，9 月下旬果实成熟，10 月中旬落叶。年生长期 175~180 天，果实生育期 100~110 天。

3. 适栽地区、地域

赞皇大枣树适应性强，适于北方大部分地区特别是丘陵山区栽培。

三、枣树的兼用品种

(一)板　枣(Banzao)

1. 品种来源

板枣原产于山西省稷山县，主要分布于县城城关镇的姚村、陶梁、南阳、下迪等村，为当地主栽品种，年产鲜枣 1 500 余万千克。据《稷山县志》记载，板枣的栽培历史始于明代之前。

2. 品种性状

板枣树势较强，树体较大，枝条较密，干性较弱，树冠自然半圆形或开心形，树姿半开张。萌蘖力强，根蘖苗根系发达，生长较强，1 年生根蘖苗平均高 78.6 cm，根径 1.03 cm，着生永久性二次枝 10 个左右，节间长 6 cm。19 年生树，干高 99 cm，干周 53 cm，树高 8.2 m，冠径东西 5.34 m，南北 4.99 m，枣头红褐色，萌发力较强，生长中等，平均生长量 40 cm 左右，着生永久性二次枝 4 ~ 5 个，节间长 8 ~ 9 cm。二次枝自然生长 6 ~ 7 节，针刺较发达。枣股中等大，抽吊力强，每股一般抽生 4 ~ 5 吊。枣吊一般长 15 cm 左右，节间长 1.2 ~ 1.5 cm。叶片小，卵圆形，深绿色，叶长 4.78 cm、宽 2.39 cm，先端渐尖，叶基圆形，叶缘锯齿浅，中度密。花量中等多，每吊平均着花 52.5 朵，每花序平均 3.8 朵。花小，零级花花径 6.13 mm，1 级花花径 5.34 mm，昼开型，13 时左右蕾裂。蜜盘小，杏黄色。果实中等大，扁倒卵形，纵径 3.23 cm，横径 2.73 cm，侧径 2.38 cm，平均果重 11.2 g，大小较均匀。果梗细，中等长，梗洼中度广，较深。果顶微凹，柱头遗存。果皮中厚，紫红色，果面光滑。果点小而密，圆形、浅黄色，不明显。果肉厚，绿白色，肉质致密，较脆，甜味浓，汁液较少。板枣鲜食、制干和加工蜜枣兼用，但多以制干为主，制干率达 57%。

板枣鲜果含可溶性固形物 41%，单糖 14.29%，双糖 19.38%，总糖 33.67%，酸 0.36%，糖酸比 90∶1；可食率

96.25%；含维生素 C 499.7 mg/100 g，含水量 50.4%，钙 0.472%，镁 0.242%，锰 4.684 mg/kg，铜 3.015 mg/kg，铁 31.431 mg/kg；每克鲜枣果肉含环磷酸腺苷 5.13 nmol。干枣含单糖 66.76%，双糖 7.74%，总糖 74.5%，酸 2.41%，糖酸比 30.91∶1；可食率 92.8%；含维生素 C 10.93 mg/100g，含水量 25.12%；每克干枣果肉含环磷酸腺苷 15 nmol。酒枣含可溶性固形物 48.6%，单糖 32.29%，双糖 5.29%，总糖 37.58%，酸 0.914%，糖酸比 41.12∶1；含维生素 C 7.13 mg/100 g，含水量 45.5%，钙 0.203%，镁 0.09%，锰 4.658 mg/kg，铜 2.499 mg/kg，铁 34.429 mg/kg。核小，纺锤形，纵径 1.97 cm，横径 0.73 cm，重 0.42 g，核尖较短，核纹浅，含仁率 20%左右。

板枣树结果早，根蘖苗一般第二年开始结果，15 年后进入盛果期，盛果期长。其坐果率高，当年枣头吊果率达 115.75%，2 年生枝吊果率达 51.28%，3 年生枝吊果率达 48.52%，坐果部位在 2~13 节，主要坐果部位在 3~9 节，占坐果总数的 86.4%。丰产，产量较稳定，在中等管理条件下，19 年生树平均株产鲜枣 28.35 kg，最高株产 37.25 kg，盛果期大树最高株产达 200 kg，300 余年生老龄枣树仍可产鲜枣 50 余千克。在灵宝地区，板枣 4 月上旬萌芽，5 月下旬始花，6 月下旬前后终花，8 月下旬果实着色，9 月中旬脆熟，10 月中旬落叶，年生长期 175 天左右，果实生育期 100 天左右。枣吊生长高峰期在 5 月 1 日至 20 日，占总生长量的 61.37%，5 月 20 日后缓慢生长，6 月 24 日前后停止生长。枣头生长高峰期在 5 月 5 日至 6 月 14 日，占总生长量的 74.17%，6 月 14 日后缓慢生长，7 月 9 日前后停止生长。

该品种结果早，产量高而稳定，品质好，用途广，市场竞争力强，经济效益高，受国内外消费者的欢迎。1973年以来远销日本、北美和东南亚，1993年获山西省首届博览会金奖，1994年获全国林业博览会金奖，1997年获山西省首届干果评比省内十大名枣第一名，2000年9月在山东乐陵举行的全国红枣品种评比中获得金奖。

3. 适栽地区、地域

板枣树适应性较强，山东、河南、河北、新疆阿克苏等地引种栽培，均表现良好，但对温度条件要求较高，适于北方年均气温10℃以上的地区栽植，平均气温10℃以下地区栽培不丰产。

(二)骏　枣(Junzao)

1. 品种来源

骏枣原产于山西交城县边山一带。以瓦窑、磁窑、坡底、广兴等村栽培较集中，为当地主栽品种。栽培历史已有1 000余年，是当地一个古老的名优品种，历史上是山西四大名枣之一。

2. 品种性状

骏枣树势强健，树体高大，树冠呈自然圆头形，枝条粗壮，中度密，干性强，树姿半开张。萌蘖力中等，根蘖苗根系发达，生长势较强。19年生树干高94 cm，干周58.16 cm，树高8.2 m，冠径东西5.63 m、南北6.2 m。主干灰褐色，皮裂中度深，不易脱落。枣头红褐色，萌发力中等，生长势较强，平均生长量54.82 cm，着生永久性二次枝6~7节，节间长8~9 cm。二次枝自然生长5~7节，针刺较发达。皮目中等大，圆形或椭圆形，分布中度密，凸起，开裂，灰白色。枣股肥大，圆锥形，寿命较长，抽吊力中等，每股平均抽生 3～4 吊。枣吊长 16 cm 左右。叶片中等大，长卵形，深绿色，叶长 6.6 cm、宽 3 cm，先端渐尖，叶基圆形，叶缘锯齿中度密，较粗。花量中等多，每吊平均着花 54.2 朵，每花序平均 4.5 朵。花较大，零级花花径 7.59 mm，1 级花花径 7.25 mm，6 时左右蕾裂。蜜盘较大，橘黄色。

骏枣果实大，柱形或长倒卵形，纵径 4.7 cm，横径 3.3 cm，平均果重 22.9 g，最大果重 50 g 以上，大小不均匀。果皮薄，深红色，果面光滑。果梗长 0.5 cm 左右，粗 0.15～0.2 cm，梗洼中度广，较深。果顶平，柱头遗存。果点大而圆，分布中度密，浅黄色，明显。果肉厚，白色或绿白色，质地细，较松脆，味甜，汁液中等多，品质上等，鲜食、制干、加工蜜枣、酒枣兼用，为山西加工酒枣最好的品种之一。

骏枣鲜果含可溶性固形物 33%，单糖 21.57%，双糖 7.11%，总糖 28.68%，酸 0.45%，糖酸比 63.12：1；可食率 96.29%；含维生素 C 430.2 mg/100 g，含水量 63.3%，钙 0.298%，镁 0.227%，锰 4.002 mg/kg，锌 9.493 mg/kg，铜 3.15 mg/kg，铁 16.464 mg/kg；每克鲜枣果肉含环磷酸腺苷 41.25 nmol。干枣含单糖 65.12%，双糖 6.65%，总糖 71.77%，酸 1.58%，糖酸比 45.3：1；可食率 93.7%；含维生素 C 16 mg/100 kg，含水量 23.2%，钙 0.102%，镁 0.084%，锰 6.134 mg/kg，铜 2.653 mg/kg，铁 33.199 mg/kg；每克干枣果肉含环磷酸腺苷 121.32 nmol。酒枣含可溶性固形物

36.3%，单糖 30.5%，双糖 0.33%，总糖 30.83%，酸 0.83%，糖酸比 32.19：1；含维生素 C 6.81 mg/100 g，含水量 55.69%。核小，纺锤形，纵径 3.23 cm，横径 0.9 cm，重 0.85 g，核尖长，核纹较深，核面较粗糙，小果核壁薄而软，有蜕化现象。柱形果实核较大，长倒卵形果实核较小，大果形核含仁率 30%左右，种仁不饱满。

　　骏枣根蘖苗结果稍迟，一般第三年开始结果。嫁接苗结果早，一年生酸枣实生砧嫁接苗，当年结果株率达 40% 以上。盛果期长，坐果率较高，当年枣头吊果率 61.95%，2 年生枝吊果率 58.51%，3 年生枝吊果率 61.7%。坐果部位在 1～14 节，主要坐果部位在 3～9 节，占坐果总数的 78.7%。丰产，产量不够稳定。在中等管理条件下，19 年生树平均株产鲜枣 34.1 kg，最高株产 46.35 kg，成龄大树单株最高可产鲜枣 240 kg。盛果期长，200～300 年生老龄枣树仍能维持一定产量。在灵宝 4 月上旬萌芽，5 月下旬始花，8 月中旬果实开始着色，9 月上旬脆熟，9 月中旬完熟，10 月中旬落叶。年生长期 180 天左右，果实生育期 100 天左右。枣吊生长高峰期在 4 月 25 日至 5 月 20 日，占总生长量的 74.9%；5 月 20 日后缓慢生长，6 月 24 日前后停止生长。枣头生长高峰期在 5 月 1 日至 30 日，占总生长量的 69.28%；5 月 30 日后缓慢生长，7 月 4 日前后停止生长。

　　3. 适栽地区、地域

　　骏枣树抗逆性强，适应性广，丰产，品质好，用途广。抗枣疯病力强，原产地历史上未发生过枣疯病。不抗裂果，成熟期遇雨裂果严重。果实成熟期较早，适于北方年均气温 8～11℃的地区栽植。

(三)壶瓶枣(Hupingzao)

1. 品种来源

壶瓶枣是古老的地方名优品种，与骏枣齐名，历史上是山西四大名枣之一，分布于山西太谷县、清徐县、祁县、榆次区及太原市郊区等地。以太谷和清徐栽培较多，太谷里美庄出产的壶瓶枣最著名。栽培历史不详，各产区数百年生老龄枣树很多。

2. 品种性状

壶瓶枣树势强健，树体高大，树冠呈自然圆头形，干性中等强，枝条粗壮，中度密，树姿半开张。萌蘖力较强，根蘖苗根系发达，生长势较强。19 年生树干高 1.07 m，干周 58.5 cm，树高 8.43 m。冠径东西 5.43 m，南北 5.56 m。枣头红褐色，生长势较强，平均生长量 50 cm，节间长 7～9 cm，二次枝自然生长 6～7 节。皮目较大，分布较密，圆形，凸起，开裂，灰白色。枣股大，抽吊力中等，每股抽生 2～5 吊，多为 3～4 吊。枣吊平均长 14 cm 左右。叶片中等大，长卵形，深绿色，叶长 5.99 cm、宽 3.14 cm，先端渐尖，叶基偏圆形，叶缘锯齿中度密，较粗。花量中等多，每吊平均着花 52.1 朵，每花序平均 4.1 朵。花较大，零级花花径 7.68 mm，1 级花花径 6.57 mm，蕾裂时间 5 时半左右。蜜盘较大，橘黄色。

壶瓶枣果实大，倒卵形或圆柱形，纵径 4.7 cm，横径 3.13 cm，平均果重 19.7 g，大小不均匀。果梗较短，中等粗，梗洼中度广、深。果顶平，柱头遗存。果皮薄，深红色，果面光滑。果点小而密，圆形，浅黄色。果肉厚，绿白色，肉质较松脆，味甜，汁液中等多，品质上等，鲜食、制干、加工蜜枣、酒枣兼用，是加工酒枣最好的品种之一。

壶瓶枣鲜果含可溶性固形物 37.8%，单糖 19.63%，双糖 10.72%，总糖 30.35%，酸 0.57%，糖酸比 52.92∶1；可食率 96.9%。含维生素 C 493.1 mg/100 g，含水量 58.6%，钙 0.201%，镁 0.228%，锰 3.967 mg/kg，锌 9.493 mg/kg，铜 3.183 mg/kg，铁 19.457 mg/kg，每克鲜枣果肉含环磷酸腺苷 127.5 nmol。干枣含单糖 56.14%，双糖 15.24%，总糖 71.38%，酸 3.15%，糖酸比 22.66∶1。可食率 93.5%。含维生素 C 30.13 mg/100 g，钙 0.191%，镁 0.078%，锰 6.134 mg/kg，铜 2.653 mg/kg，铁 51.643 mg/kg，每克干枣果肉含环磷酸腺苷 289.77 nmol。核小，纺锤形，纵径 3.16 cm，横径 0.74 cm，重 0.61 g，核纹较深，核尖长，核面粗糙，不含种仁，小枣核蜕化成软壁。

壶瓶枣树结果较早，根蘖苗一般第二、三年开始结果，15 年后进入盛果期，盛果期长。坐果率较高，当年枣头吊果率 54.17%，2 年生枝吊果率 69.85%，3 年生枝吊果率 54.09%，坐果部位在 2～12 节，主要坐果部位在 3～9 节，占坐果总数的 79.5%。丰产，产量较稳定，盛果期，大树单株最高产鲜枣 200 kg 以上。在灵宝 4 月上旬萌芽，5 月下旬初花，6 月上中旬盛花，6 月下旬终花。9 月中旬果实脆熟，10 月中旬落叶。年生长期 170 天左右，果实生育期 100 天左右。枣吊生长高峰期在 4 月 25 日至 5 月 20 日，占总生长量的 67.68%；5 月 20 日后缓慢生长，7 月 4 日前后停止生长。枣头生长高峰期在 5 月 1 日至 6 月 9 日，占总生长量的 90.68%；6 月 9 日后缓慢生长，6 月 24 日前后停止生长。

　　3. 适栽地区、地域

　　壶瓶枣树适应性较强，丰产，产量较稳定，品质好，有开发前景。适于北方年均气温 8℃以上、成熟期少雨的地区栽植。

　　(四)灰枣(Huizao)

　　灰枣又名大枣。

　　1. 品种来源

　　灰枣分布于河南新郑市、中牟县、西华县和郑州市郊区。为当地主栽品种。起源于新郑，已有 2 700 多年的栽培历史，至今尚有 500 多年生的老龄枣树。

　　2. 品种性状

　　灰枣树势中等，树体中等大或较大，树冠呈自然圆头形，干性中等强，枝条中度密，树姿半开张。成龄树树高 6.5 m，冠径 6 m 左右。主干灰褐色，皮裂中度深，不易脱落。枣头红褐色，生长势中等，平均生长量 40～70 cm。皮目中等大，椭圆形，分布较密，凸起，灰白色，开裂。着生永久性二次枝 4～9 个，节间长 7.7 cm。二次枝自然生长 5～7 节，针刺较发达。枣股中等大，圆柱形，抽吊力较强，每股平均抽生 3～4 吊。枣吊长 13～22.5 cm。叶中等大，长卵形，深绿色，较厚，叶长 4.2～5.4 cm、宽 2～2.6 cm，先端渐尖，叶基圆形，叶缘锯齿浅，分布稀。花量多，花中等大，零级花花径 7 mm 左右，1 级花花径 6.5 mm 左右，昼开型。蜜盘小，浅黄色。

　　灰枣果实中等大，长卵形或短柱形，纵径 3.2～3.4 cm，横径 2.1～2.3 cm，平均果重 12.3 g，大小较均匀。果梗中等粗长，梗洼窄，中度深。果顶平，柱头遗存。果皮中等厚，橙红色，果面较平滑。果点小，分布中度密，圆形，浅黄色，不明显。果肉厚，绿白色，肉质致密，较脆，味甜，汁液量中多，品质上等，适宜制干、鲜食和蜜枣加工，制干率 50%左右。干枣肉质致密，有弹性，耐贮运。

灰枣可食率 97.3%。核小，纺锤形，纵径 1.8 cm，横径 0.5 cm，重 0.31 g，核尖短，核纹较浅，含仁率高，种仁较饱满。

灰枣结果较迟，根蘖苗一般第三年开始结果，15 年左右进入盛果期，产量较高。在灵宝 4 月上旬萌芽，5 月下旬始花，9 月中旬脆熟。果实生育期 100 天左右。

3. 适栽地区、地域

灰枣树适应性较强，品质好，可适量引种栽培。

(五)晋　枣(Jinzao)

晋枣又名吊枣、长枣。

1. 品种来源

晋枣分布于陕西和甘肃交界的彬县、长武、宁县、泾川、正宁、灰阳等地，为当地原有的主栽品种，是陕西著名的优良品种。

2. 品种性状

晋枣树势强，树体高大，干性强，枝条较密，树冠呈圆柱形或圆锥形，树姿直立。百年左右大树干高 2.3 m，干周 1.7 m，树高 9～15 m，冠径 6～8 m。主干灰褐色，皮裂深，易剥落。枣头红褐色，中心主枝枣头生长势强，生长量大；其他侧枝、辅养枝、结果枝组枣头生长势较弱，生长量小，枝条硬，较直立，节间长 5～7 cm，二次枝自然生长 4～6 节，针刺较发达。皮目中等大，分布较稀，圆形或长圆形，凸起，位于基部者多数开裂。枣股大，圆柱形，4～5 年枣股长 2.1 cm 左右，老龄枣股最长 5 cm 以上。抽吊力强，一般每股抽生 3～6 吊，平均 4.9 吊，多者达 8 吊。枣吊长 12～27 cm，平均 15.4 cm，节间长 1.4 cm。叶较大，卵状披针形，绿色，叶长 4.3～7 cm、宽 1.7～3.2 cm，叶柄长 3 mm 左右，先端渐尖，叶基楔形，叶缘锯齿浅而较密。花量多，每花序着花 5～9 朵。花较大，零级花花径 7.5 mm，1 级花花径 7 mm 左右，蕾裂时间 7 时左右。蜜盘中等大，杏黄色。

晋枣果实大，长卵形或圆柱形，纵径 4.6～6 cm，横径 3.1～3.8 cm，平均果重 21.6 g，大小不均匀。果梗细，中度长，梗洼厂而浅。果顶微凹，柱头遗存，不明显。果皮薄，赭红色，果面不平滑。果点小而圆，分布较密，浅黄色。果肉厚，乳白色，肉质致密、酥脆，甜味浓，汁液较多，品质上等，适宜鲜食、制干和蜜枣加工。

晋枣鲜果含可溶性固形物 30.2%～32.2%，最高达 35%；含总糖 26.9%，酸 0.21%；可食率 97.87%；含维生素 C390 mg/100 g。干枣含总糖 68.7%～78.4%。核小，长纺锤形，纵径 2.6 cm，横径 0.6 cm，重 0.4 g，核尖长，核纹浅，含仁率低。

晋枣树根蘖苗结果较迟，一般第三年开始结果，早丰性强，8 年后可进入盛果期。嫁接苗结果较早，陕西清涧县洲洋公司苗圃中的 1 年生酸枣实生砧嫁接苗，当年结果株率可达 16.67%；密植园 2 年生树，每株平均结果 445.8

个，吊果率达 136%。其中枣头吊果率 186%(摘心处理)，2年生枝吊果率 108%。晋枣树产量较高，成龄树一般株产鲜枣 25～40 kg，最高株产 150 kg，百年生以上老树仍能正常结果。管理条件较差，肥、水条件不足时，表现有大小年现象。在灵宝 4 月上旬萌芽，5 月底始花，9 月下旬果实成熟，10 月下旬落叶。年生长期 190 天左右，果实生育期 110天左右。

3. 适栽地区、地域

晋枣树适应性较强，品质优良，成熟期较晚，适于北方年均气温 10℃以上地区栽培。

四、枣树的制蜜枣品种

(一)大荔水枣(Dalishuizao)

1. 品种来源

大荔水枣分布于陕西大荔县枣区，以小元、北丁、西营、三教等地栽培较多。栽培历史不详。

2. 品种性状

大荔水枣树势中等，树体中等大，枝条中度密，干性较弱，树冠自然圆头形，树姿开张。成龄大树的树高 5～6 m，冠径 4～5 m。主干灰褐色，皮裂浅，不易脱落。枣头萌发力中等，红褐色，一般生长量 35 cm 左右，着生永久性二次枝 5～7 个，节间长 7 cm。二次枝自然生长 4～6 节，针刺不发达。皮目小，椭圆形，凸起，开裂。枣股较小，抽吊力较强，每股抽生 2～5 吊。枣吊平均长 13～18 cm，叶片小而较厚，长卵形，绿色，叶长 5.3 cm、宽 2.7 cm，先端渐尖，叶基圆形或楔形，叶缘锯齿细而密。花量较少，

夜开型。花中等大，零级花花径 7.5 mm 左右，1 级花花径
7 mm 左右。蜜盘小，浅黄色。

大荔水枣果实较大，长圆形，纵径 3.4 cm，横径 3.1 cm，
平均果重 17.8 g，大小较均匀，果梗中等长，梗洼中度广、
深。果顶平，柱头遗存，不明显。果皮中度厚，深红色，
果面不平滑。果点小而圆，分布较稀。果肉厚，绿白色，
肉质细，较松，味甜，汁液较少，品质中上等或上等，适
宜制干枣和蜜枣。

大荔水枣制成的干枣含糖 72.2%，酸 0.77%，可食率
96.7%。核小，纺锤形，纵径 1.44 cm，横径 0.72 cm，重
0.55 g，核尖短，核面较粗糙，含仁率 10%左右。

大荔水枣树结果较早，根蘖苗一般第二年开始结果，
10 年后进入盛果期。枣头坐果率高，丰产，产量不很稳定。
成龄树一般株产鲜枣 25～50 kg。在灵宝 4 月中旬萌芽，5
月中下旬始花，9 月初果实着色，10 月中旬落叶。年生长
期 170 天左右，果实生育期 90 多天。

3. 适栽地区、地域

大荔水枣树适应性较强，适于北方蜜枣加工地区栽植。

(二)桐柏大枣(Tongbaidazao)

1. 品种来源

桐柏大枣分布于河南桐柏县，1982 年在桐柏县城郊周
庄村发现。为当地稀有品种，来源不详。1983 年 10 月《中
国枣树志》编委会定名为"桐柏大枣"。

2. 品种性状

桐柏大枣树体较大，树姿开张，树势中等，树冠自然
半圆形。40 年生树干高 1.66 m，干周 89 cm，树高 7 m，

冠径东西 8 m，南北 8.5 m。主干灰褐色，皮粗糙，不易剥落。枣头紫褐色，发枝力较强，平均生长量 55 cm，节间长 6.6 cm。皮目中等大，椭圆形，凸起，开裂。针刺发达，直刺长 2.3 cm。枣股小，圆柱形，5~6 年生枣股长 1 cm，直径 0.7 cm，抽吊力中等，一般每股抽生 3 吊，多者 6 吊。枣吊平均长 23 cm，最长 32 cm。叶片较小，长卵圆形，深绿色，叶长 4.5 cm、宽 2.5 cm，先端渐尖，叶基圆形，叶缘锯齿细。花量多，每花序平均着花 5 朵。蜜盘浅黄色。

桐柏大枣果实特大，近圆形，纵径 5.1 cm，横径 5 cm，一般果重 46 g 左右，最大果重 70 g 以上。梗洼深而广，果顶平圆。果皮中度厚，赭红色。果点大而稀，不显著。果肉厚，黄白色，肉质较松，味甜，汁液多，品质中上等或上等，适宜鲜食和制蜜枣。

桐柏大枣鲜果含糖 22.1%，酸 0.32%；可食率 97.17%；含维生素 C 442.3 mg/100 g。核小，短纺锤形，纵径 2.8 cm，横径 1.1 cm，重 1.3 g。

桐柏大枣树结果早，早丰性强，丰产。在灵宝 4 月上旬萌芽，5 月中下旬始花，9 月上旬果实采收。果实生育期110 天左右。果实成熟期遇雨易裂果。

桐柏大枣树适应性较强，结果早，早实性强，产量高。吴城镇老亩岗林场株行距 2 m×3 m 的密植园，平均株产15.3 kg，每公顷产鲜枣 25 245 kg。

桐柏大枣果实特大，品质好，适宜鲜食和加工蜜枣。1988 年引入灵宝市林科所，第二年就结果，在鲜食口感上，优于梨枣，具有很大的发展前景。

3. 适栽地区、地域

桐柏大枣为鲜食和加工蜜枣的兼用品种,适应性较强,适于北方的城郊、工矿区和全国蜜枣加工区栽培。

五、枣树的观赏品种

(一)磨盘枣(Mopanzao)

磨盘枣又名硇硇枣(陕西)、磨子枣、葫芦枣(河北)、药葫芦枣(甘肃)。

1. 品种来源

磨盘枣分布较广,陕西大荔,甘肃庆阳,山东乐陵、无棣、夏津,河北交河、青县、献县、曲阳、大名等地都有栽培,但数量很少,多为四旁零星栽植。栽培历史悠久,可能起源于陕西关中一带,该地至今沿用古代名称"硇硇枣"(意为石磨枣),后传播到各地。多用嫁接繁殖。

2. 品种性状

磨盘枣树势强,树体较大,干性中等强,枝条中密,粗壮,树冠呈自然半圆形,树姿开张。23 年生树干高 1.1 m,干周 60 cm,树高 7.35 m,冠径 7 m 左右,主干灰褐色,皮裂深,不易剥落。枣头紫褐色,生长势较强,木质较软,生长量 50~80 cm,节间长 6~8 cm。二次枝自然生长 5~7 节,针刺发达。皮目大而密,圆形或椭圆形,凸起,开裂,灰白色。枣股较大,圆柱形,老龄枣股长 2.6 cm,直径 1.2 cm,能持续结果 8 年左右,抽吊力较强,每股一般抽生 3~5 吊,多者达 7~8 吊。枣吊长 12~20 cm,少数枣吊有副吊生长现象。叶中等大或较大,卵状披针型,深绿色,叶长 4.7~5.7 cm、宽 2.3~2.7 cm,先端渐尖,叶基圆形，叶缘锯齿浅而较稀。花量多，枣吊中部每花序着花7~9朵以上。花大，零级花花径8 mm左右，1级花花径7.5 mm，昼开型。蜜盘中等大，浅黄色。

磨盘枣树果实中等大，石磨形，果实中部有一条缢痕，深宽各2~3 mm，缩痕上部大，下部小。纵径2.6~3.4 cm，横径2.4~3.2 cm，平均果重7 g左右，最大果重13 g以上，大小不均匀。果梗中等长、中等粗，梗洼较广，中度深，果顶凹，柱头遗存，不明显。果肉较厚，绿白色，肉质粗松，甜味较淡，汁液少，适宜制干。制成的干枣品质中下等，制干率50.5%。

磨盘枣鲜果含可溶性固形物30%~33%，可食率93.5%，核中等大，短纺锤形或卵圆形，纵径1.8 cm，横径0.9 cm，重0.9 kg，核纹深，核尖短，核面粗糙，含仁率低。

磨盘枣树结果较早，少数产区采用根蘖繁殖，多数产地采用嫁接繁殖。根蘖苗定植后2~3年开始结果，结实力中等。坐果部位在1~13节，主要坐果部位在2~5节，占坐果总数的73.33%。产量较低或中等，盛果期树株产鲜枣15~25 kg。在灵宝4月中旬萌芽，5月下旬始花，9月中下旬果实脆熟，10月中旬落叶。年生长期180天左右。

3. 适栽地区、地域

磨盘枣树适应性较强，山地、平地，水地、旱地均可栽培；产量中等，不够稳定；抗裂果；经济栽培价值不大。但果形奇特美观，观赏价值高，可作为庭院和公园观赏树栽植。适于北方年均气温9℃以上地区作观赏树栽培。

(二)茶壶枣(Chahuzao)

1. 品种来源

茶壶枣原产于山东夏津、临清。数量极少，多为庭院零散栽植，用于观赏。历史不详。临清县现有百年以上大树生长。目前北方各地都引种栽植，用于观赏。

2. 品种性状

茶壶枣树势中等，树体中等大，干性较强，枝条中密，粗壮，树冠自然半圆形，树姿开张。50 年生树干高 2 m，干周 48 cm，树高 6~7 m，冠径 7 m 左右。主干灰褐色，皮裂浅，不易剥落。枣头紫褐色，生长势强，木质较松，髓部大，一般生长量为 40~60 cm，节间长 8~10 cm。二次枝自然生长 4~8 节，针刺不发达。皮目小而圆，分布较稀，凸起，不开裂，灰白色。枣股中等大，圆锥形，5 年生枣股长 1.1 cm，老龄枣股长 2 cm 左右，抽吊力较强或中等，一般每股抽生 3~4 吊。枣吊粗，较长，部分枣吊有副吊生长现象。叶片中度厚，宽大，近似心脏形，深绿色，叶长 5.8~7.8 cm、宽 3.3~4.6 cm，先端渐尖或钝圆，叶基圆形或心形，叶缘锯齿中密、中等粗。花量特多，枣吊中部每花序着花 15 朵左右，为昼开型。蜜盘中等大，橘黄色。

茶壶枣果实较小，果形奇特，纵径 1.8~3.2 cm，横径 1.6~2.8 cm，平均果重 4.5~8.1 g，最大果重 10.2 g，大小不均匀。果梗中等长、粗，梗洼中度广、深。果肩到果顶有 1~5 条长短不等的肉质状突出物，有的果实在肩部两端各有 1 个肉质突出物，与果实连成一体，形似茶壶的壶嘴和壶把，故名茶壶枣，果顶凹，柱头不明显。果皮较薄，紫红色。果点中等大，分布密，圆形，浅黄色，不明显。果肉较厚，绿白色，肉质较粗松，味甜略酸，汁液中多，品质中等，适宜观赏和制干。

茶壶枣鲜果含可溶性固形物 30.4%，可食率 94%，核较小，短纺锤形，纵径 1.2～1.9 cm，横径 0.6～0.9 cm，重 0.5 g，核纹浅，核尖短，不含种仁。

茶壶枣树结果较早，嫁接苗一般第二年开始结果，10 年后进入盛果期。坐果率高，结果力强，坐果部位在 3～14 节，主要坐果部位在 5～9 节，占坐果总数的 79.6%。较丰产，产量稳定。在灵宝 4 月中旬萌芽，5 月底始花，9 月上旬果实成熟。果实生育期 90 天左右。

3. 适栽地区、地域

茶壶枣树适应性强，水地、旱地，山地、平地均可栽培。果形奇特，有极高的观赏价值，适于北方宜枣地区庭院和公园作为观赏树栽培。

(三)胎里红(Tailihong)

胎里红又名老来变。

1. 品种来源

胎里红原产于河南镇平县官寺、侯集、八里庙一带。数量极少，历史不详。20 世纪 90 年代以来，北方有的地方引种栽植。

2. 品种性状

胎里红树势较强，树体中等大，枝条中度密，树冠自然圆头形，树姿开张。10 年生树干高 2.47 m，干周 53 cm，树高 6.5 m，冠径 5.5 m。主干灰褐色，树皮粗糙，不易剥落。枣头紫褐色，生长势强，一般生长量 60 cm 左右，节间长 7.5 cm，二次枝自然生长 3～7 节，针刺不发达。皮目小，卵圆形，凸起，不开裂，灰白色。枣股中等大，5～6年生枣股长 1.2 cm 左右，直径 0.9 cm 左右，持续结果 10年以上。抽吊力中等或较强，一般每股抽生 3～4 吊，多者达 8 吊。枣吊粗而较长，一般吊长 20 cm 左右，最长达 30 cm 以上。叶片中等大，卵状披针形，绿色，中等厚，叶长 4.4 cm、宽 2.1 cm，先端渐尖，叶基圆形或楔形，叶缘锯齿细，较密。花量多，幼蕾为紫色，至开花时逐渐变浅。花中等大，花径 7 mm 左右，7 时蕾裂。蜜盘中等大，橘黄色。

胎里红枣果实中等大或较小，尖柱形，平均果重 9.8 g，大小不均匀。落花后幼果为紫色，至果实接近成熟时变为水红或粉红色，成熟时变为鲜红色，十分美观。果梗细，较短，梗洼窄而深。果顶平，柱头遗存，较明显。果皮薄，鲜红色，果面光滑。果点小而圆，分布密，浅黄色，较明显。果肉厚，绿白色，肉质细，较酥脆，味甜，汁液中等多，品质中上等，适宜鲜食和观赏。

胎里红枣鲜果含可溶性固形物 32.5%。核小，纺锤形，尖细长，核纹深。

胎里红枣树用嫁接方法繁殖，结果早。陕西清涧县洲洋公司苗圃 1 年生酸枣实生砧木春季嫁接苗，当年结果株率达 77% 以上，每株平均结果 7.74 个，多者达 20 个。坐果率较高，坐果部位在 1～21 节，主要坐果部位在 4～10节，占坐果总数的 76.11%，产量中等，稳定。在灵宝 4 月中旬萌芽，5 月下旬始花，9 月下旬果实脆熟，10 月中旬落叶。年生长期 175～180 天，果实生育期 100～110 天。

坐果期不整齐，果实成熟不一致。

3. 适栽地区、地域

胎果红枣树适应性较强，不同地形、不同土壤类型均可栽培。果实可鲜食和观赏，从萌芽至果实成熟期都有很高的观赏价值。适于北方年均气温 8.5℃以上的地区作鲜食和观赏兼用品种栽植。若以观赏为主，全国宜枣区庭院和公园均可栽植。

附表 1　灵宝大枣无公害生产周年管理工作历

月份	物候期	主要管理工作内容
1~2	休眠期	1. 外出学习或请老师进行技术培训； 2. 制定全年生产计划，准备所需生产资料，检修农机用具； 3. 刮树皮、涂白、剪除病虫枝，消灭枣黏虫、红蜘蛛等害虫的越冬卵和蛹； 4. 采集枣树接穗，并蜡封贮存，备嫁接所需； 5. 树盘内施基肥
3	休眠期	1. 整形修剪，并结合修剪采集接穗，蜡封贮存； 2. 在树干基部堆土拍光并绑缚塑料布，防止枣尺蠖雌成虫上树产卵； 3. 对枣树喷布 3~5 波美度石硫合剂，防治越冬病虫害
4	萌芽前后	1. 未修剪的枣树继续进行修剪； 2. 枣苗出圃，新建枣园栽植或补植； 3. 育苗地整理，根蘖苗归圃，播种酸枣籽或种仁； 4. 进行枣苗嫁接或野生酸枣树嫁接； 5. 进行间作物和绿肥的播种； 6. 给枣树追肥、浇水； 7. 对地面和树上喷药，防治食芽象甲，枣园安装黑光灯诱蛾，给枣疯病树体输液治疗
5	枝叶生长、花芽分化和初花期	1. 进行枣苗嫁接或野生酸枣树嫁接； 2. 进行枣树夏季修剪、抹芽、摘心、拉枝等； 3. 苗圃地、间作物和绿肥管理； 4. 对枣树喷洒 25%灭幼脲 3 号 2 000~2 500 倍液，防治枣尺蠖、枣黏虫、枣瘿蚊和食芽象甲等害虫

续附表 1

月份	物候期	主要管理工作内容
6	开花坐果期	1. 继续进行夏季修剪； 2. 在盛花期进行强壮树开甲、矸枣； 3. 枣园放蜂，促进授粉； 4. 喷施促花坐果剂，结合进行叶面喷肥； 5. 干旱高温天气时，早晚给树冠喷水； 6. 枣园追肥、浇水、中耕除草； 7. 苗圃解除嫁接苗包扎物，给野生酸枣嫁接大枣树及时松绑和立支柱防风害； 8. 树冠喷洒 25%灭幼脲 3 号 2 000～2 500 倍液或 1.8%齐螨素 3 000～5 000 倍液，防治桃小食心虫、红蜘蛛、黄刺蛾、龟蜡蚧、枣黏虫等多种害虫； 9. 枣园安装灭蛾器，诱杀各种害虫成虫
7	幼果期	1. 继续对枣头摘心疏枝，控制营养生长； 2. 进行苗圃地间作物和绿肥管理； 3. 在枣园追肥、浇水和树盘(行)翻压绿肥； 4. 对枣树喷 25%灭幼脲 3 号 2 000～2 500 倍液或 1.8%阿维菌素乳油 5 000～8 000 倍液，防治桃小食心虫、红蜘蛛、龟蜡蚧等害虫； 5. 对枣树喷 1∶2∶200 波尔多液防治枣锈病、炭疽病；喷 2%农抗 120(抗霉菌素)200 倍液防治炭疽病；喷 0.3%硼砂或硼酸，防治缩果病； 6. 结合喷药治虫喷 0.2%～0.3%磷酸二氢钾，0.5%尿素； 7. 喷 800 倍液钙中钙等钙制剂防枣裂果病

续附表 1

月份	物候期	主要管理工作内容
8	果实生长期	1. 对枣树喷 1 : 2 : 200 波尔多液或 75%百菌清 800 倍液或中生菌素(农抗 751)1%水剂 200～300 倍液，防治枣缩果病、枣锈病、炭疽病等； 2. 对枣树喷 1.8%阿维菌素乳油 5 000～8 000 倍液，防治红蜘蛛、桃小食心虫等害虫，结合喷施 0.3%磷酸二氢钾、1%氯化钙和 800 倍氨钙宝； 3. 进行枣园追肥、浇水和中耕除草； 4. 继续加强对苗圃地管理； 5. 白熟期，人工采摘鲜枣，加工蜜枣
9	落叶期	1. 在树干和主枝上束草，诱集枣黏虫等越冬害虫； 2. 摘拾树上虫果和地面落果，进行处理； 3. 按不同用途适时采收、加工和干制枣果； 4. 采收后，挖环状沟或放射状沟，秋施基肥，可适量掺入氮、磷肥，并灌水； 5. 收获间作物
10	果实成熟期	1. 摘拾树上虫果或地下落果处理； 2. 上月未施完基肥的，继续进行施肥； 3. 晾晒红枣，妥善保存、销售； 4. 苗木出圃，秋栽枣树
11～12	休眠期	1. 清除枣园枯枝、落叶、病果杂草； 2. 冬季枣园地下管理，全园深翻、耕翻树盘，立地条件差的枣园进行扩穴，土壤改良，同时拾拾虫茧、虫蛹、幼虫等消灭，以利土壤熟化及降低越冬虫的密度； 3. 给枣园灌封冻水； 4. 销毁树干和主枝上的束草； 5. 清除枣疯病树及病枝； 6. 枣园冬季修剪； 7. 销售枣果及加工产品； 8. 进行全年工作总结

附表2 47种水果类农药残留限量国家标准 (单位：mg/kg)

农药名称	种类	残留限量	说明	农药名称	种类	残留限量	说明
滴滴涕	杀虫剂	≤0.1		西维因	杀虫剂	≤2.5	
六六六	杀虫剂	≤0.2		阿波罗	杀螨剂	≤1.0	
倍硫磷	杀虫剂	0.05		氟氰戊菊酯	杀虫剂	≤0.5	
甲拌磷	杀虫剂	不得检出		克菌丹	杀菌剂	≤15	
杀螟硫磷	杀虫剂	≤0.5		敌百虫	杀虫剂	≤0.1	
敌敌畏	杀虫剂	≤0.2		亚胺硫磷	杀虫剂	≤0.5	
对硫磷	杀虫剂	不得检出		苯丁锡	杀螨剂	≤5	△
乐果	杀虫剂	≤0.1		除虫脲	杀螨剂	≤1.0	△
马拉硫磷	杀虫剂	不得检出		代森锰锌	杀菌剂	≤3.0	△
辛硫磷	杀虫剂	≤0.05		克螨特	杀螨剂	≤5.0	△
百菌磷	杀虫剂	≤1.0		噻螨酮	杀螨剂	≤0.5	△
多菌灵	杀虫剂	≤0.5		三氟氯氰菊酯	杀螨剂	≤0.2	△
二氯苯醚菊酯	杀虫剂	≤2.0		三唑锡	杀螨剂	≤2.0	△
乙酰甲胺磷	杀虫剂	≤0.5		丁硫克百威	杀虫剂	≤2.0	△
甲胺磷	杀虫剂	不得检出		杀螟丹	杀虫剂	≤1.0	△
地亚农	杀虫剂	≤0.5		乐斯本	杀虫剂	≤1.0	△
抗矽威	杀虫剂	≤0.5		双甲脒	杀螨剂	≤0.5	△
溴氰菊酯	杀虫剂	≤0.1		溴螨酯	杀螨剂	≤5.0	△
氰戊菊酯	杀虫剂	≤0.2		异菌脲	杀虫剂	≤10	△
呋喃丹	杀虫剂	不得检出		甲霜灵	杀菌剂	≤1.0	△
水胺硫磷	杀虫剂	≤0.02	△	杀扑磷	杀虫剂	≤2.0	△
喹硫磷	杀虫剂	≤0.5	△	灭多威	杀虫剂	≤1.0	△
草甘膦	除草剂	≤0.1		粉锈宁	杀菌剂	≤0.2	△
百草枯	除草剂	≤0.2	△				

注：备注中"△"为个别水果的标准限量。

主要参考文献

1. 曲泽洲，王永蕙. 中国果树志·枣卷. 北京：中国林业出版社，1993

2. 张志善，杨自民，申彦杰. 枣无公害高效栽培. 北京：金盾出版社，2004

3. 高新一，马元思，李占林. 枣树高产栽培新技术. 北京：金盾出版社，2004

4. 冯明祥. 无公害果园农药使用指南. 北京：金盾出版社，2004

5. 武之新. 冬枣优质丰产栽培新技术. 北京：金盾出版社，2004

6. 王锦文. 枣优质高效栽培新技术. 郑州：中原农民出版社，1996

7. 任国兰. 枣树病虫害防治. 北京：金盾出版社，2002

8. 张志善. 枣树良种引种指导. 北京：金盾出版社，2003

9. 宋宏伟. 优质高档枣生产技术. 郑州：中原农民出版社，2003